Descubre el español con Santillana
Student Book Level E
ISBN-13: 978-1-61605-631-5
ISBN-10: 1-61605-631-2

Editorial Staff
Contributing Writers: Mercedes Z. Carrillo Méndez,
   Joel Morales-Rolón
Senior Project Editor: Patricia E. Acosta
Developmental Editor: Andreína Borges
Proofreader: Claudia Baca
Editorial Director: Mario Castro
Design and Production Manager:
   Mónica R. Candelas Torres
Head Designer: Francisco Flores
Design and Layout: Osvaldo Sánchez Gómez
Image and Photo Research Editor:
   Mónica Delgado de Patrucco
Cover Design and Layout: Studio Montage

1 2 3 4 5 6 7 8 9 WC 24 23 22 21 20 19
Published in the United States of America.

Acknowledgments
Illustrations: Alexandra Artigas
Photographs: p.12: © Buddy Mays / Corbis; p.14: © Rodolfo
Ortega; p.16: © Barry Lewis / Corbis; p.18: © Carolina
Iglesias; p.20: © Guenter Wamser / Age Fotostock; p.24:
© Rodolfo Ortega; p.26: © Rodolfo Ortega; p.28:
© Oswaldo Rivas / Reuters; p.34: © Carolina Iglesias; p.36:
© Rodolfo Ortega; p.46: © Martin Palacios / Santillana
USA; p.49: © Martin Palacios / Santillana USA; © Richard
Adamson; p.51: © Santillana Paraguay; p.52: © Santillana
Paraguay; p.54: © Marcelo Torterolo / Santillana Paraguay;
p.56: © Marcelo Torterolo / Santillana Paraguay; p.58:
© Sergio Patrucco; p.66: © Martin Palacios / Santillana USA;
p.70: © Schulz / Age Fotostock; p.74: © Guenter Fischer
/ Age Fotostock; p.80: © Enrique Estrada; p.82: © Mario
Casaverde / Santillana USA; p.84: © Mario Casaverde /
Santillana USA; p.88: © Robert Harding Images / Masterfile;
p.100: © José Fuste Raga / Age Fotostock; p.102: © ARCO
/ J Moreno / Age Fotostock, © Valeria 73 / Shutterstock,
© Osvaldo Sánchez Gómez; p.104: © Osvaldo Sánchez
Gómez; p.110: © Mario Casaverde / Santillana USA; p.114:
© Iris Odio / Santillana USA; p.116: © Iris Odio / Santillana
USA; p.117: © Sergio Patrucco; p.120: © Stewart Cohen /
Age Fotostock; p.122: © Iris Odio / Santillana USA; p.124:
© Iris Odio / Santillana USA; p.126: © Iris Odio / Santillana
USA; p.130: © Iris Odio / Santillana USA; p.132: © Iris Odio
/ Santillana USA; p.134: © Iris Odio / Santillana USA; p.138:
© Iris Odio / Santillana USA; p.142: © Iris Odio / Santillana
USA; p.150: © Peter Adams / Corbis; p.151:© Romulo
Yanes / Corbis; p.152: © Peter Adams / Corbis; p.154:
© Robert Harding Produc / Age Fotostock; p.156:
© Sami Sarkis / Age Fotostock; p.164: © Sun Brockie; p.174:
© Salvador Elez Calvo; p.178: © Salvador Elez Calvo; p.184:
© Johnny Stockshooter / Age Fotostock; p.190: © Kord / Age
Fotostock; p.192: © Kord / Age Fotostock; p.195: © Dpworld;
p.196: © Hughes Hervé / Age Fotostock; p.200: © Royan
/ Age Fotostock; p.202: © Giorgio Ricatto / Age Fotostock;
p.204: © Reuters; p.206: © Begsteiger / Age Fotostock;
p.210: © Age Fotostock; p.212: © Christian Handl / Age
Fotostock; p.216: © Alberto Dominguez Burgoz ; p.218:
© Alberto Dominguez Burgoz ; p.220: © Vladimir Marcano;
p.224: © Edgloris E. Marys / Age Fotostock; p.228:
© Jorge Silva / Corbis; p.232: © Vladimir Marcano; p.234:
© Vladimir Marcano; p.236: © Vladimir Marcano; p.246:
© Vladimir Marcano; p.252: © Alvaro Hurtado Molero;
p.254: © Alvaro Hurtado Molero; p.260: © Jean-Pierre
Lescourret / Corbis; p.263: © Jimena Agois; p.265: © Vidler
Steve / Age Fotostock; p.266: © Mickael David / Age
Fotostock; p.268: © John Vizcaino / Reuters; p.269: © Heino
Kalis / Reuters; p.270: © Reuters; p.278: © Hughes Hervé /
Age Fotostock; p.279: © The Gallery Collection / Corbis,
© Ken Welsh / Age Fotostock.

Descubre el español con Santillana

E

Unidad 1

Nos conocemos

Nos conocemos 10

semana **1** Los saludos 12

semana **2** La familia 20

semana **3** Los amigos 28

semana **4** Las despedidas 36

Descubre
Nicaragua

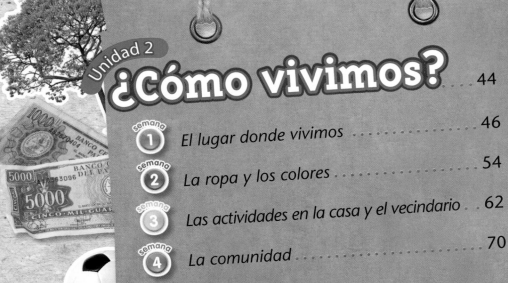

Unidad 2

¿Cómo vivimos? 44

semana 1 El lugar donde vivimos 46

semana 2 La ropa y los colores 54

semana 3 Las actividades en la casa y el vecindario .. 62

semana 4 La comunidad 70

Descubre
Paraguay

Unidad 3

Vamos a aprender 78

semana 1 Las actividades en la escuela 80

semana 2 Las actividades después de la escuela ... 88

semana 3 Las vacaciones 96

semana 4 Los eventos 104

Descubre
México

Unidad 4

Los animales 112

semana **1**   *Las mascotas* 114

semana **2**   *Los animales de la granja* 122

semana **3**   *Las fábulas* 130

semana **4**   *Los animales del zoológico* 138

Descubre Costa Rica

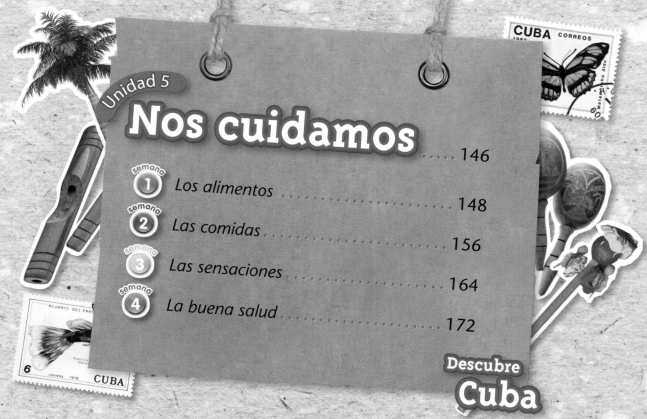

Unidad 5

Nos cuidamos 146

semana **1**   *Los alimentos* 148

semana **2**   *Las comidas* 156

semana **3**   *Las sensaciones* 164

semana **4**   *La buena salud* 172

Descubre Cuba

Unidad 6

Nuestro ambiente 180

semana **1** Las estaciones y el tiempo 182

semana **2** Los viajes y los mapas 190

semana **3** La geografía y el clima 198

semana **4** Los lugares históricos 206

Descubre **Chile**

Unidad 7

¿Cómo funciona? 214

semana **1** El trabajo 216

semana **2** La tecnología 224

semana **3** Las profesiones 232

semana **4** El mundo del trabajo 240

Descubre **Venezuela**

Unidad 8

Nuestras celebraciones 248

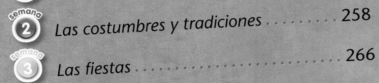

semana 1 Las celebraciones 250

semana 2 Las costumbres y tradiciones 258

semana 3 Las fiestas 266

semana 4 Los personajes históricos 274

Descubre
España

Mapa de las Américas 284

Mapa de la Península Ibérica 285

Los alimentos y las bebidas 286

Las partes del cuerpo 288

La ropa 289

Los números 290

Los colores 291

Los animales 292

Las palabras cognadas 293

Vocabulario español-inglés 296

Expresiones 303

Viaja con John y Amy

Esta es la familia Oshiro: Michelle, John y Amy.

Tienen una misión: visitar ocho países diferentes.

John y Amy escriben en sus diarios geográficos sobre cada país.

CORREOS MEXICO

Escribe tú también sobre los países que visitas con John y Amy.

Nombre: _____ Fecha: _____

Diario geográfico

¿Qué sé de este lugar? _____

¿Qué me gusta? _____

¿Qué no me gusta? _____

Nombre: _____ Fecha: _____

Mi visita a Nicaragua

1. _____
2. _____
3. _____
4. _____
5. _____
6. _____
7. _____
8. _____

Mar Caribe

Océano Pacífico

Unidad 1
Nos conocemos

Voy a aprender sobre...

- los saludos.
- la familia.
- los amigos.
- las despedidas.

CUBA

HAITÍ

JAMAICA

BELICE

HONDURAS

NICARAGUA

EL SALVADOR

PANAMA

Descubre
Nicaragua

Los saludos

¡Hola! Yo soy Nidia.

¡Mucho gusto! Yo soy John.

Y yo soy Amy.

Palacio Nacional de Cultura en Managua

¡Hola! Yo soy Nidia.

Yo soy John.

Yo soy Amy.

▶ Conversa.

¡Hola! Yo soy...

El mercado

Mercado de Masaya

A. Ordena.

¡Mucho gusto!	¡Hasta pronto!	¡Buenos días!

B. Compara con la historia. ¿Es cierto o falso?

1. Te presento a mi papá, John.

2. ¡Buenos días!

3. Adiós, niña. ¡Gracias!

4. Te presento al vendedor.

¿Cómo están?

A. Escucha y repite.

¡Buenas tardes, señoras y señores! ¿Cómo están ustedes?

Bien, ¿y tú?

Mal, ¡muy mal!

La gigantona, baile tradicional

B. Conversa.

1. ¿Cómo están?

   bien   mal

2. Saluda a una niña.

   buenos días   buenas tardes

3. Despídete de la señora Michelle.

   adiós   hasta pronto

C. Escucha y repite.

D. Conversa. Imagina que eres Amy o John.

¡Buenos días!	¿Cómo estás?	Bien, gracias.
¡Buenas tardes!	¿Cómo están?	Más o menos.
¡Buenas noches!	¿Cómo está usted?	Mal, ¡muy mal!

Don y doña

 ¡Buenas noches! Les presento a mi papá y a mi mamá.

 ¡Mucho gusto! Yo soy don Fernando.

 Y yo soy doña Augusta.

 ¡Encantado, don Fernando! Yo soy John.

 ¡Encantada, doña Augusta! Yo soy Michelle.

B. Conversa.

- Saluda al papá y a la mamá de Nidia.

Buenas noches, don...   Buenas noches, doña...

Repasa

- los saludos y despedidas

Aplica

▶ Imagina que visitas Nicaragua.

1. Saluda a Nidia y a don Fernando.

2. Presenta a un amigo o una amiga.

3. Despídete de la señora Augusta.

¡A escribir!

Comunicación

Tema: Mi visita a Nicaragua

PLANIFICA   ESCRIBE   REVISA   PRESENTA

La familia

Puerto de San Jorge en Rivas

Comunicación

¡Qué linda, linda es Nicaragua,
bendita de mi corazón!
Si hay una tierra en todo el continente,
hermosa y valiente,
¡esa es mi nación!

Mi familia es de Nicaragua.

▶ Conversa.

Mi familia es de...

La familia de Nidia

Don Tata es el abuelo de Nidia.

Doña Mimí es la abuela de Nidia.

La señora Augusta es la mamá de Nidia.

El señor Fernando es el papá de Nidia.

Toño es el hermano de Nidia.

Nere es la hermana de Nidia.

Lulú es la hermana de Nidia.

¡Qué linda, linda es mi familia, bendita de mi corazón!

Conexiones

A. Escucha y repite.

papá   mamá   hermana

hermano   abuelo   abuela

B. Completa.

1. El señor Fernando es el _____ de Nidia.

2. Nere es la _____ de Nidia.

3. Toño es el _____ de Nidia.

4. La señora Augusta es la _____ de Nidia, Toño, Lulú y Nere.

5. Don Tata es el _____ de Toño, Nere, Nidia y Lulú.

6. Doña Mimí es la _____ de Toño, Nere, Nidia y Lulú.

C. Conversa.

1. ¿Quién es tu papá?

> Mi papá es el señor...

2. ¿Quién es tu abuelo?

> Mi abuelo es don...

Las vocales y la familia

A. Escucha y repite.

Isla de Ometepe

B. Escucha y señala la vocal. Repite las vocales.

abuela

escucha

isla

oruga

uno

C. Escucha y repite. Identifica las vocales.

1. abuelo
2. hermana
3. tío
4. mamá
5. abuela

D. Lee. Cuenta las vocales.

1. **a** Te presento a mi mamá y a mi papá.

2. **e** Mi familia es hermosa.

3. **i** Buenos días, Nidia. ¿Cómo estás?

4. **o** Hola, yo soy Toño, el hermano de Nidia.

5. **u** Buenas tardes, Lulú.

E. Conversa sobre la familia de Nidia.

¿Quién es?

| Tata | Toño | Nere | Lulú | Mimí |

Una visita al volcán

A. Escucha y repite.

Volcán Concepción en Isla de Ometepe

Nidia y sus amigos visitan el volcán. John ve rocas ígneas.
La hermana de John ve rocas sedimentarias.

B. Responde.

1. ¿Dónde están Amy, John y Nidia?
2. ¿Quién ve rocas ígneas?
3. ¿Quién ve rocas sedimentarias?

C. Conversa.

¿Qué palabras de ciencias son similares en español y en inglés?

| sedimentarias | ígneas | volcán | rocas |

Repasa

- los saludos y las despedidas
- la familia

Aplica

▶ Imagina que visitas Nicaragua.

1. Saluda al señor Fernando y a la señora Augusta.
2. Presenta a tu familia.
3. Despídete de la familia de Nidia.

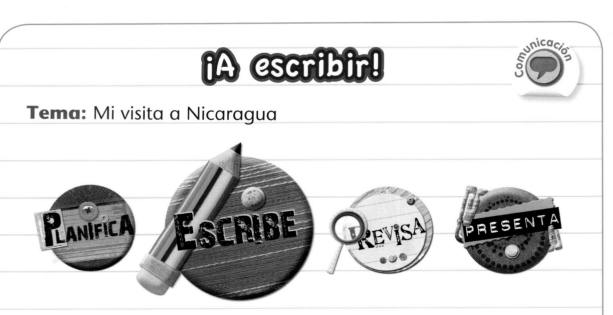

¡A escribir!

Comunicación

Tema: Mi visita a Nicaragua

PLANIFICA   ESCRIBE   REVISA   PRESENTA

Los amigos

Reserva natural de La Flor en San Juan del Sur

Mis amigos

Tengo un amigo
 Comunidades

Tengo un amigo, sí señor
y lo voy a buscar, y lo voy a buscar.
Tengo un amigo, sí señor.

Un millón de amigos, sí señor,
para poder saludar.
Un millón de amigos, sí señor.

Canta conmigo, mi amigo,
con todos mis amigos.
Canta conmigo, mi amigo.

▶ Conversa.

Mis amigos y yo...

Una carta

¿Qué significan Sr. y Sra.?

"Sr." y "Sra." significan señor y señora. Son abreviaturas.

La carta es para el señor y la señora López.

Catedral de León

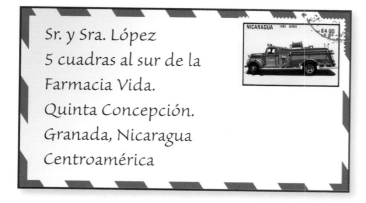

Sr. y Sra. López
5 cuadras al sur de la
Farmacia Vida.
Quinta Concepción.
Granada, Nicaragua
Centroamérica

A. Escucha y repite.

señor

Sr.

señora

Sra.

señorita

Srta.

B. Completa.

1. La carta es para el _____ y la _____ López.

2. _____ es la abreviatura de señor.

3. _____ es la abreviatura de señora.

4. _____ es la abreviatura de señorita.

C. Conversa.

1. ¿Cómo son las abreviaturas en inglés y en español?

2. Imagina que tienes una carta.

La carta es para...

Las abreviaturas Sr. y Sra. significan...

¿Dónde está?

A. Escucha y repite.

¿Dónde está esta dirección? La busco en el mapa, pero no la encuentro.

Esa dirección está lejos de la estación de autobús, pero cerca de la Farmacia Vida.

¡Gracias!

Casa Natal Rubén Darío en Matagalpa

B. Completa y conversa.

La dirección está lejos de…

La dirección está cerca de…

Amy está al lado de…

Nidia está al lado de…

¿Dónde está Amy?

Amy está al lado del señor. ¡Vamos!

32   Unidad 1

C. Escucha y repite.

caballo	caballos	señor	señores

niña	niñas	amigo	amigos

D. Escucha y escoge.

1. El señor está al lado del (caballo / caballos).

2. Nidia está al lado de su (amigo / amigos).

3. Nidia y Amy son (amiga / amigas).

4. Los (señor / señores) son familia.

E. Conversa.

1. ¿Cuál es la diferencia entre *caballo* y *caballos*?

2. ¿Cuál es la diferencia entre *señor* y *señores*?

3. ¿Tienes un amigo o muchos amigos?

Los señores López

A. Escucha y repite.

Hola, niños. ¡Gracias por la carta!

¿Cómo encuentran la casa?

Preguntamos dónde está la dirección.

Señora López, su casa no tiene un número. ¡Tiene un nombre!

B. Responde. Escoge y conversa.

- ¿Cómo encuentras una dirección en tu comunidad?

Yo busco en un mapa.

Yo pregunto dónde está.

C. Compara y conversa.

Dirección del Sr. y la Sra. López

Dirección de mi casa

Repasa

- los amigos
- las direcciones
- las abreviaturas

Aplica

▶ Imagina que buscas la casa de un amigo.

1. Saluda.

2. Habla de la casa de tu amigo.

   a. La casa de mi amigo está cerca de...

   b. La casa de mi amigo está lejos de...

   c. La casa de mi amigo está al lado de...

3. Despídete.

¡A escribir!

Comunicación

Tema: Mi visita a Nicaragua

PLANIFICA ESCRIBE REVISA PRESENTA

Las despedidas

Parque Central de Granada

Comunicación

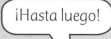
¡Hasta luego!

¡Hasta pronto!

¡Adiós!

▶ Conversa.
- Despídete de un amigo o una amiga.

Un correo electrónico

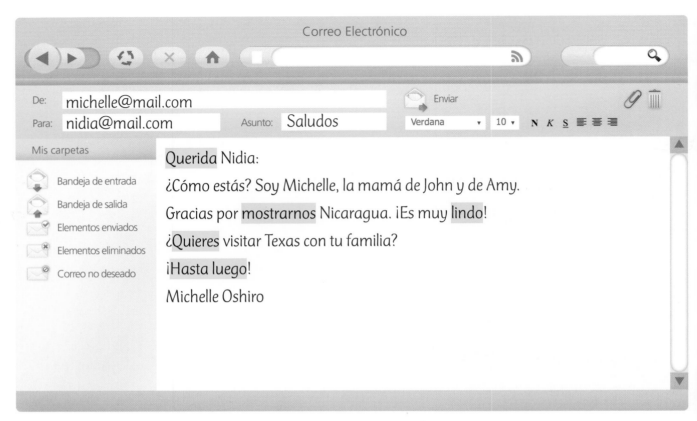

Correo Electrónico

De: michelle@mail.com
Para: nidia@mail.com   Asunto: Saludos

Enviar

Verdana ▾   10 ▾   N K S

Mis carpetas

Bandeja de entrada
Bandeja de salida
Elementos enviados
Elementos eliminados
Correo no deseado

Querida Nidia:

¿Cómo estás? Soy Michelle, la mamá de John y de Amy.

Gracias por mostrarnos Nicaragua. ¡Es muy lindo!

¿Quieres visitar Texas con tu familia?

¡Hasta luego!

Michelle Oshiro

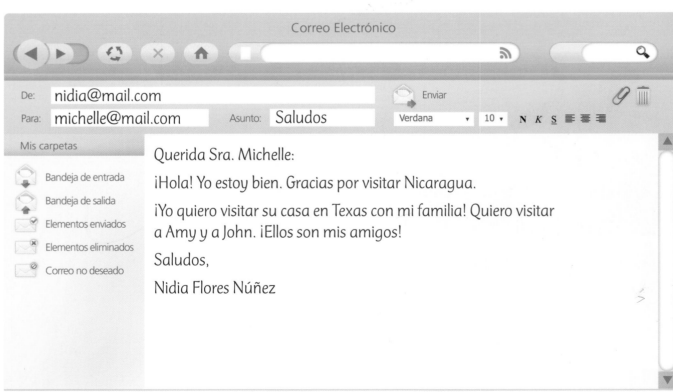

Correo Electrónico

De: nidia@mail.com
Para: michelle@mail.com   Asunto: Saludos

Enviar

Verdana ▾   10 ▾   N K S

Mis carpetas

Bandeja de entrada
Bandeja de salida
Elementos enviados
Elementos eliminados
Correo no deseado

Querida Sra. Michelle:

¡Hola! Yo estoy bien. Gracias por visitar Nicaragua.

¡Yo quiero visitar su casa en Texas con mi familia! Quiero visitar a Amy y a John. ¡Ellos son mis amigos!

Saludos,

Nidia Flores Núñez

A. Escoge.

1. Los correos electrónicos...

   a. son cartas electrónicas.

   b. son mapas.

   c. son mis amigos.

   d. son mi familia.

2. ¿Cómo saluda Nidia a la señora Michelle?

   a. ¿Cómo estás?

   b. ¡Hola!

   c. Gracias

   d. ¡Adiós!

3. ¿Cómo se despide la Sra. Michelle en el correo electrónico?

   a. Estimada

   b. ¡Hola!

   c. Soy Michelle

   d. ¡Hasta luego!

B. Responde.

1. ¿Quién es la Sra. Michelle?

2. ¿Cómo es Nicaragua?

3. ¿Quiénes son los amigos de Nidia?

Los nombres

A. Lee y compara.

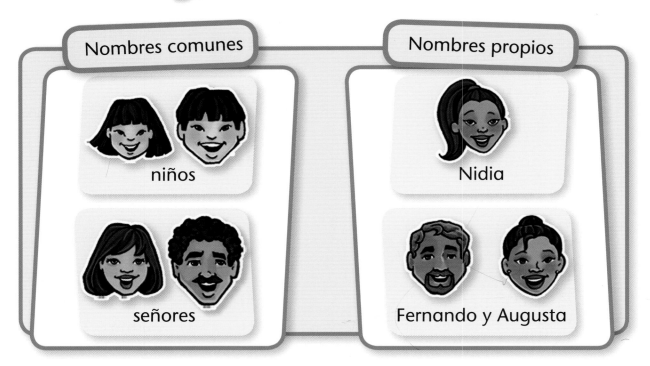

Nombres comunes	Nombres propios
niños	Nidia
señores	Fernando y Augusta

B. Completa la tabla.

Nombres propios	Nombres comunes	¿Cómo se dice más de uno?
Amy	niña	niñas

C. Escucha y repite.

Yo **soy** Amy.

Tú **eres** John.

Ella **es** Michelle.

Él **es** John.

Nosotros **somos** familia.

Ellos **son** Michelle y John.

D. Completa las oraciones.

1. Él _____ John.

2. Ellos _____ mi familia.

3. Tú _____ John.

4. Nosotros _____ hermanos.

5. Yo _____ Amy.

6. Ella _____ Michelle.

E. Conversa.

Yo soy...   Tú eres...   Mi amigo es...   Nosotros somos...

Las vacaciones

A. Completa la oración. Comunicación

volcán	señora	niña	Nicaragua
señor	niño	hermano	amigos

1. Nidia es una _____ y John es un _____ .

2. Amy y John visitan _____ .

3. John y Nidia son _____ .

4. Amy y John saludan al _____ Fernando y a la _____ Augusta.

5. Toño es el _____ de Nidia.

6. Los niños visitan un _____ en Nicaragua.

B. Conversa sobre tus vacaciones. Comunidades

1. Yo quiero visitar…

2. Mi familia y yo visitamos…

3. Yo saludo a…

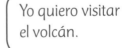

Yo quiero visitar el volcán.

Repasa

- los saludos
- la familia
- los amigos
- las despedidas

Aplica

▶ Imagina que hablas con un amigo o una amiga de Nicaragua.

1. Saluda a tu amigo o amiga.
2. ¿Quiénes son tu familia?
3. ¿Quiénes son tus amigos?
4. ¿Qué lugares de Nicaragua quieres visitar?
5. Despídete de tu amigo o amiga.

¡A escribir!

Comunicación

Tema: Mi visita a Nicaragua

PLANIFICA   ESCRIBE   REVISA   PRESENTA

¿Cómo vivimos?

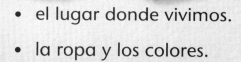

Voy a aprender sobre...

- el lugar donde vivimos.
- la ropa y los colores.
- las actividades en la casa y el vecindario.
- la comunidad.

Descubre
Paraguay

El lugar donde vivimos

Bienvenidos.
Yo soy Óscar.
Él es Aníbal.

¿Dónde vives?

Yo vivo en un apartamento. Está cerca. ¡Vamos!

Antigua estación de ferrocarril en Asunción

Comunicación

Yo vivo en una casa.

Yo vivo en un apartamento.

▶ Conversa.

Yo vivo en...

El apartamento de Aníbal

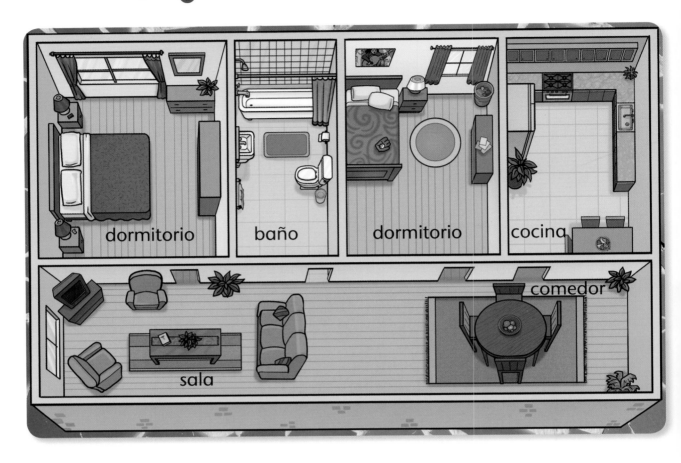

Aníbal: Mi apartamento es pequeño. No es grande como una casa, pero es mi hogar. Ésta es la sala.

John: Me gusta mucho la sala. Es muy bonita.

Michelle: ¿Dónde está el baño?

Aníbal: El baño está enfrente de la sala.

Óscar: Los dos dormitorios están al lado del baño. El dormitorio de Aníbal está a la derecha. Mi dormitorio está a la izquierda.

Aníbal: El comedor está enfrente de la cocina. La cocina está a la derecha de mi dormitorio.

A. Escucha y repite.

baño

cocina

dormitorio

sala

B. Completa.

> derecha   dormitorios   grande
>
> casa   izquierda   apartamento

1. Aníbal y su papá no viven en una _____ .
   Viven en un _____ .
2. El apartamento de Aníbal no es _____ . Es pequeño.
3. El apartamento tiene dos _____ .
4. El dormitorio de Aníbal está a la _____ del baño.
5. El dormitorio de Óscar está a la _____ del baño.

C. Conversa sobre tu hogar.

1. Mi hogar tiene…
2. La sala está a la izquierda de…
3. La cocina está enfrente de…

El vecindario

A. Escucha y repite.

Aníbal: Éste es mi vecindario. Enfrente de nosotros está la tienda. Mi papá y yo compramos comida en la tienda.

John: ¿Dónde está la panadería? Yo necesito comprar pan.

Aníbal: La panadería está a la izquierda.

Amy: ¿Dónde está la farmacia? Mamá necesita comprar medicinas.

Aníbal: La farmacia está a la derecha.

Niños: ¿Y dónde está el parque? ¡Queremos jugar!

Aníbal: El parque está detrás de la tienda.

B. Observa la imagen del vecindario. Conversa.

> La panadería está...

> La farmacia está...

C. Observa las imágenes. Escucha y repite.

tienda

farmacia

panadería

D. Completa la tabla.

¿Qué necesitas?		¿Dónde lo compras?
pan		
comida		
medicina		

E. Conversa sobre tu vecindario.

1. ¿Dónde está el parque?

El parque está...

2. ¿Dónde compras comida?

Yo compro comida en...

El mercado

A. Escucha y repite.

Mercado en Asunción

Aníbal: En el mercado nosotros compramos ropa, comida y té.

Michelle: ¡El mercado está enfrente de tu apartamento! ¿Dónde está la estación de ferrocarril?

Óscar: Está detrás del mercado, pero no está cerca. Está lejos.

B. Conversa y juega. Imagina que estás en el mercado con un amigo o una amiga.

Yo estoy...

detrás   cerca   lejos

C. Conversa. Compara un mercado en Paraguay con un mercado o una tienda en tu comunidad.

Mercado en Paraguay   Mercado en mi comunidad

Repasa

- el lugar donde vivimos

Aplica

▶ Imagina que estás en Paraguay.

1. Saluda a Aníbal.

2. Explica a un amigo o una amiga cómo llegar al mercado.
   a. Usa palabras como *izquierda, derecha, detrás, enfrente, lejos* y *cerca*.
   b. Menciona los lugares en el vecindario de Aníbal.

3. ¿Dónde compras medicinas?

4. ¿Dónde quieres jugar?

> Quiero jugar en el parque. Está detrás de la tienda.

¡A escribir!

Comunicación

Tema: Mi visita a Paraguay

PLANIFICA   ESCRIBE   REVISA   PRESENTA

La ropa y los colores

Museo de Historia Natural en Asunción

Comunicación

Mi ropa

Conexiones

¡Ropa, color!
¡Ropa, color!
¡Ropa, color!
Ropa, ropa, ropa, ropa.
Color, color, color, color.
¡Qué linda es mi ropa de color!

Mi pantalón es marrón.

Mi camisa es roja.

▶ Conversa.

La camisa es...

El pantalón es...

Una visita al Jardín Botánico

Jardín Botánico en Asunción

Michelle: Niños, cuiden su ropa. No la ensucien.

Amy: No me voy a ensuciar, mamá. Yo cuido mi camiseta blanca y mi falda azul.

John: Yo cuido mi pantalón largo marrón y mi camisa amarilla.

Aníbal: No me voy a ensuciar, señora Michelle. Yo cuido mi camisa roja y mi pantalón corto negro.

Amy: Mamá, tú cuidas tu blusa verde y tu falda anaranjada.

Michelle: Sí, todos cuidamos la ropa.

A. Une. Identifica quién tiene esta ropa.

1.

2.

3.

4.

a. blusa

b. falda

c. camiseta

d. camisa

e. pantalón largo

f. pantalón corto

B. Escoge.

1. La camiseta de Amy es…
   a. blanca.
   b. anaranjada.
   c. roja.
   d. negra.

2. El pantalón corto de Aníbal es…
   a. rojo.
   b. negro.
   c. marrón.
   d. azul.

3. La falda de Michelle es…
   a. azul.
   b. amarilla.
   c. marrón.
   d. anaranjada.

4. La camisa de John es…
   a. marrón.
   b. amarilla.
   c. anaranjada.
   d. blanca.

C. Conversa con un amigo o una amiga.

1. ¿De qué color es tu ropa?
2. ¿De qué color es la ropa de tu amigo o amiga?

Las compras y los precios

A. Escucha y repite.

Centro comercial en Asunción

En el centro comercial hay muchas tiendas. Esta
tienda tiene los precios caros. La tienda de enfrente
tiene los precios baratos. En Estados Unidos, las
personas usan dólares para comprar. En Paraguay,
las personas usan guaraníes para comprar.

B. Observa y repite.

guaraníes

dólares

c. Observa las imágenes y responde.

1. La tienda de enfrente tiene los precios…

   a. caros.

   b. baratos.

2. En Paraguay, las personas compran con…

   a. dólares.

   b. guaraníes.

D. Escucha y repite. Contesta.

> Erre con erre, la gorra
> Erre con erre es marrón.
> Rápido compra el señor
> Ropa negra y un jarrón.

1. Di las palabras *gorra* y *marrón*. Di las palabras *compra* y *negra*.
   ¿El sonido de la *r* es similar o diferente?

2. Di las palabras *señor, dólar, gorra, barato* y *jarrón*.
   ¿Qué palabras tienen *r*?

3. Di las palabras *mercado, marrón, señor, rápido* y *ropa*.
   ¿Qué palabras tienen *rr*?

E. Conversa con un amigo o una amiga.

1. ¿En qué son similares los centros comerciales y los mercados?

2. ¿En qué se diferencian?

¡De compras!

₲1,000 (mil)   ₲500 (quinientos)   ₲100 (cien)   ₲50 (cincuenta)

B. Responde.

- ¿Cuántos guaraníes necesitas?

    1. John quiere comprar una camisa. Él necesita _____ guaraníes.

    2. Michelle quiere comprar una blusa amarilla. Ella necesita _____ guaraníes.

    3. Amy quiere comprar una falda. Ella necesita _____ guaraníes.

C. ¿Qué palabras son similares en español y en inglés?

dólar	mil	pantalón
billete	precio	blusa

Repasa

- los colores
- la ropa
- la moneda de Paraguay

Aplica

▶ Imagina que vas de compras con Aníbal en Paraguay.

1. Saluda a Aníbal y a su papá.

2. Describe qué quieres comprar.

3. Di qué usas para comprar.

4. Describe el lugar donde quieres comprar.

¡A escribir!

Comunicación

Mi visita a Paraguay

PLANIFICA   ESCRIBE   REVISA   PRESENTA

Las actividades en la casa y el vecindario

Vecindario en Paraguay

Comunicación

Tengo una casa

Comunidades

Yo tengo una casa
que es así, así.
Que por la chimenea
sale el humo, así, así.
Que cuando quiero entrar
yo golpeo así, así.

Me limpio los zapatos
así, así, así.

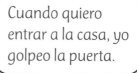
Cuando quiero entrar a la casa, yo golpeo la puerta.

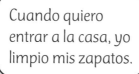
Cuando quiero entrar a la casa, yo limpio mis zapatos.

▶ Conversa.

Cuando quiero entrar a la casa, yo...

Aníbal y Óscar limpian la casa

Mi papá y yo **limpiamos** la casa. A mí me gusta limpiar el **piso**. **Primero**, yo limpio el piso con la **escoba**. **Después**, yo limpio el piso con **agua**, **jabón** y un **trapeador**.

Por último, yo limpio la **alfombra** con una **aspiradora**.

A mi papá le gusta **lavar** la ropa. Primero, papá lava la ropa a mano con agua y jabón. Después, él **seca** la ropa al **sol**.

¡La casa ya está limpia!

Yo lavo la ropa a mano.

Yo seco la ropa al sol.

A. Escucha y repite.

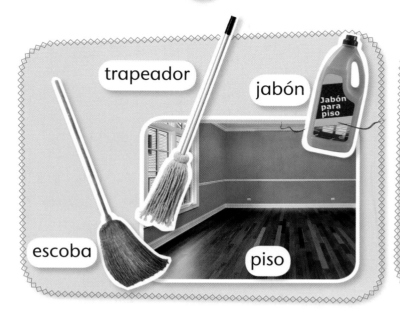

B. Completa.

1. Aníbal limpia el _____ .

2. Primero, Aníbal limpia el piso con la _____ .

3. Después, él limpia el piso con agua, _____ y un _____ .

4. Por último, Aníbal limpia la alfombra con una _____ .

C. Responde.

1. ¿Qué hace primero Aníbal para limpiar el piso?
   ¿Qué hace después?

2. ¿Qué hace primero el papá de Aníbal para lavar
   la ropa? ¿Qué hace después?

D. Conversa. Imagina que Aníbal te ayuda a limpiar tu casa.

1. ¿Cómo limpias el piso?

2. ¿Cómo lavas la ropa?

Cuida tu ropa y tu casa

A. Escucha y repite.

> Tenemos ropa elegante. Amy tiene un vestido rosado y papá tiene un traje y una corbata colorida.

> Cuida tu ropa.

Teatro Municipal en Asunción

B. Escoge. Lee en voz alta.

1. Ellos tienen ropa...

elegante.

informal.

2. Ellos tienen ropa...

limpia.

sucia.

C. Une. Lee en voz alta.

1.

2.

3.

a. Limpia tu dormitorio.

b. Cuida tu uniforme.

c. Lava la ropa.

D. Lee y contesta. ¿En qué son similares estas oraciones?

> Limpia la casa.
> Seca la ropa.
> Cuida tu pantalón.

E. Conversa.

1. Di a un amigo o una amiga que limpie el piso.

2. Di a un amigo o una amiga que lave la ropa.

La carta de Sonia

A. Escucha y repite.

Estimado Sr. Óscar:

¿Cómo está? Mi familia y yo estamos en Ciudad del Este. Nos gustan la panadería, el parque, la farmacia y otros lugares en la comunidad. ¿Quiere visitar Ciudad del Este?

Atentamente,

Sra. Sonia

La Sra. Sonia dice "atentamente" para despedirse.

B. Responde.

1. ¿En qué son similares la carta de la señora Sonia y las cartas en inglés?
2. ¿En qué se diferencian?

C. Compara una carta en español con una carta en inglés. Usa un diagrama de Venn y llena el diagrama con dibujos o palabras.

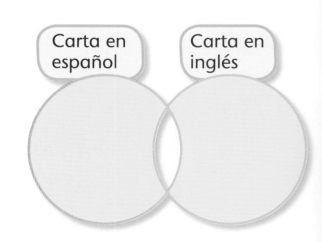

Carta en español

Carta en inglés

Repasa

- las actividades en la casa y el vecindario

Aplica

▶ Imagina que limpias tu casa y después vas al teatro.

1. ¿Cómo limpias el piso?
2. ¿Cómo limpias la alfombra?
3. ¿Cómo lavas la ropa?
4. ¿Qué ropa tienes para ir al teatro?

Limpia tu dormitorio.

¡A escribir!

comunicación

Mi visita a Paraguay

PLANIFICA ESCRIBE REVISA PRESENTA

La comunidad

¡Bienvenidos a Itaipú! La represa convierte la energía del agua en luz para las casas.

Represa eléctrica de Itaipú

Comunicación

La represa está cerca de Brasil y Argentina.

▶ Conversa.
- Habla sobre la represa de Itaipú.

Un mapa electrónico

Óscar: La represa Itaipú está lejos de Ciudad del Este. El viaje a la represa es largo.

Aníbal: ¡Por fin llegamos a Ciudad del Este!

Michelle: Ya estamos enfrente del hotel. Ahora queremos ver el camino para llegar al mercado.

John: ¿Podemos usar nuestro mapa electrónico para ver cómo llegar al mercado?

Amy: Buena idea.

Óscar: ¡Llegamos al mercado!

A. Escucha y repite.

represa

camino

hotel

mercado

B. Completa. Lee en voz alta.

1. Michelle quiere ver el _____ del hotel al mercado.
2. La _____ Itaipú está cerca de Argentina y Brasil.
3. El _____ tiene dormitorios bonitos.
4. Después del hotel llegan al _____ .

C. Escoge la respuesta correcta.

1. El mapa electrónico
   se usa para…
   a. llegar a un lugar.
   b. hablar de un lugar.
   c. estar en un lugar.
   d. limpiar un lugar.

2. Usamos un mapa
   electrónico en…
   a. una casa.
   b. un viaje.
   c. el teatro.
   d. el dormitorio.

D. Une y conversa con un amigo o una amiga.

| Nosotros | llegamos a estamos en | la represa. la ciudad. el hotel. el mercado. |

¿Dónde están?

A. Escucha y repite.

Mercado en Ciudad del Este

Amy y su familia **pasean** por Ciudad del Este. Allí **conocen** a muchas personas.

Amy está en la tienda de ropa. Ella conoce al **vendedor**.

Michelle está en la farmacia. Ella conoce a la **farmacéutica**.

Todos están en la panadería. Ellos conocen a la **panadera**.

¡Ciudad del Este es **divertida**!

B. Responde.

1. ¿Dónde está la farmacéutica?
2. ¿Dónde está el vendedor?
3. ¿Dónde está la panadera?

C. Escucha y repite.

Yo **estoy** aquí.

Tú **estás** cerca.

Ella **está** lejos.

Él **está** lejos.

¡Nosotros **estamos** cerca!

Ellos **están** lejos.

D. Completa las oraciones.

1. Amy y yo _____ de paseo en Ciudad del Este.
2. Ellos _____ lejos del mercado.
3. La señora Sonia _____ en Itaipú.
4. Tú _____ lejos del hotel.
5. John _____ enfrente de la casa.
6. Yo _____ en el mercado.

E. Conversa.

Yo estoy en…   Mi amigo está en…

Ella está en…   Nosotros estamos en…

Los trabajadores de la comunidad

A. Escucha y repite.

 Yo soy panadera. Yo trabajo en la panadería. Mi papá es panadero. Nosotros vendemos pan. Me gusta trabajar en la panadería de mi papá.

 Yo soy vendedor. Yo trabajo en la tienda de ropa. Me gusta hablar con la gente en inglés y en español.

 Yo soy escritor. Yo trabajo en mi apartamento. Me gusta escribir libros en inglés y en español.

B. Completa. Lee en voz alta.

soy	trabajar	escribir	tienda
escritor	vendo	panadería	apartamento

1. Yo _____ vendedor. Yo _____ ropa en la _____.
2. Yo soy _____. Me gusta _____. Yo escribo libros en mi _____.
3. Yo soy panadera. Yo vendo pan en la _____. Me gusta _____ con mi papá.

C. Conversa. Escoge un trabajo y habla de él.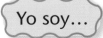

Yo soy…   Yo trabajo en…   Me gusta…

Repasa

- el lugar donde vivimos
- la ropa y los colores
- las actividades en la casa y el vecindario
- la comunidad

Aplica

▶ Imagina que vives en Paraguay.

1. ¿Dónde vives?
2. ¿Dónde compras?
3. ¿Qué ropa compras?
4. ¿Qué trabajadores conoces?

Yo compro mi ropa en la tienda de ropa.

¡A escribir!

Comunicación

Tema: Mi visita a Paraguay

PLANIFICA   ESCRIBE   REVISA   PRESENTA

Unidad 3

Vamos a aprender

Voy a aprender sobre...

- las actividades en la escuela.
- las actividades después de la escuela.
- las vacaciones.
- los eventos especiales.

ESTADOS UNIDOS

MÉXICO

Descubre
México

Las actividades en la escuela

Hola Patricia, ¿a dónde vas?

Yo voy a la escuela. Me gusta estudiar.

Plaza de la Constitución en Cuernavaca

Comunicación

Me gusta estudiar matemáticas.

Me gusta estudiar español.

Me gusta estudiar ciencias.

▶ Conversa.

Me gusta estudiar...

Saludo a la bandera

Nosotros estamos en el patio de la escuela. Vamos a saludar a la bandera. Primero marchamos y después cantamos el himno nacional.

La escuela de Patricia

Patricia: En mi escuela saludamos a la bandera por la mañana.

Amy: ¡Me gusta la bandera de tu país!

Patricia: A mí también me gusta. ¿Quieres saludar a la bandera?

John: Sí.

Patricia: Si quieres saludar a la bandera, debes marchar y cantar el himno nacional.

Amy: ¡Él canta muy bien!

Patricia: John, tú cantas muy bonito.

A. Responde.

1. ¿Dónde están Amy, John y Patricia?

2. ¿Qué hacen primero? ¿Qué hacen después?

B. Conversa. Lee las palabras resaltadas. ¿Cuál es la diferencia?

Él lleva uniforme.

Tú eres Patricia.

Sí, ella usa uniforme.

El uniforme es bonito.

¡Tu nombre es John!

Si estudias en esta escuela, debes usar uniforme.

C. Conversa.

1. ¿Usas uniforme en tu escuela? ¿Qué ropa usas?

2. ¿Saludas a tu bandera? ¿Cómo la saludas?

Los útiles escolares

A. Escucha y repite.

Bienvenidos al salón de clase. ¿Tienen sus útiles escolares? Yo tengo dos cuadernos.

Maestro, yo tengo un libro.

Yo tengo tres lápices.

B. Identifica y repite.

Útiles escolares

cuaderno

libro

lápiz

borrador

bolígrafo

papel

C. Conversa con un amigo o una amiga.

  • ¿Qué útiles escolares tienes?

D. Escucha y repite.

Yo necesito un bolígrafo para escribir.

Yo necesito un borrador para borrar.

Yo necesito un libro para leer.

escribir

borrar

leer

E. Responde.

  1. ¿Qué necesitas para escribir?
  2. ¿Qué necesitas para borrar?
  3. ¿Qué necesitas para leer?

F. Conversa.

  1. ¿Qué te gusta más, escribir o leer?
  2. ¿Qué útiles escolares necesitas para estudiar?
  3. Compara los útiles escolares de la página anterior con los
     que usas en tu salón de clase.

Las clases de Patricia

A. Escucha y repite.

Patricia tiene muchas clases en la escuela. Ella tiene clases de español, matemáticas, ciencias, historia, geografía, inglés, arte y educación física. A Patricia le gusta estudiar español. Es su clase favorita. También le gusta aprender inglés. Muchos estudiantes en México aprenden inglés y español en la escuela.

B. Identifica los nombres de las clases.

| ciencias | matemáticas | español | geografía |

1. ¡Hola!

2. + − x ÷

3.

4.

C. Conversa.

1. ¿Qué clases tiene Patricia?
2. ¿Qué clases tienes tú?
3. ¿En qué son iguales las clases en Estados Unidos y México? ¿En qué se diferencian?
4. ¿Cuál es tu clase favorita?

Repasa

- los útiles escolares
- las actividades de la escuela
- las clases

Aplica

▶ Imagina que estás en una escuela en México.

1. Identifica qué útiles escolares necesitas.
2. Describe qué actividades haces con los útiles escolares.
3. Demuestra el saludo a la bandera.
4. Conversa sobre tus clases en la escuela.

> Yo necesito un lápiz y un cuaderno para escribir en la escuela.

¡A escribir!

Comunicación

Tema: Mi visita a México

PLANIFICA   ESCRIBE   REVISA   PRESENTA

Las actividades después de la escuela

Plaza de los Mariachis en Guadalajara

¿Qué quieres hacer?

Comunicación

El mariachi loco

Comunidades

El mariachi loco quiere bailar,
el mariachi loco quiere bailar.
Quiere bailar, pero no hay pareja.
Quiere bailar, pero no hay pareja.

Yo quiero jugar.

Yo quiero cantar.

▶ Conversa.

Yo quiero...

89

Los ratos libres

Patricia: Por la mañana voy a la escuela. Después de la escuela me gusta pasear en bicicleta.También me gusta jugar videojuegos y tocar violín.

John: En los ratos libres a mí me gusta tomar fotos y tocar guitarra.

Amy: A mí me gusta escuchar música y jugar fútbol por la tarde.

Patricia: ¿Quieres jugar fútbol?

Amy: Sí. ¿Dónde jugamos?

Patricia: Vamos a jugar en la cancha.

John: ¡Vamos a la cancha!

A. Observa y repite.

videojuegos

bicicleta

guitarra

fotos

cancha

violín

B. Completa. Lee en voz alta.

1. A Patricia le gusta jugar _____, pasear en _____
   y tocar _____.
2. A John le gusta tocar _____ y tomar _____.
3. A Amy le gusta jugar fútbol en la _____ por la tarde.

C. Conversa.

1. ¿Qué te gusta hacer durante tus ratos libres?
2. ¿Es igual o diferente a lo que hace Patricia?

Las actividades de la semana

A. Escucha, repite e identifica las palabras con *g* o *j*.

B. Une y conversa.

El lunes		juego ajedrez.
El martes		estoy junto a mi familia.
El miércoles		dibujo.
El jueves	yo	juego con mis amigos.
El viernes		estudio geografía.
El sábado		hago ejercicios en el gimnasio.
El domingo		juego fútbol.

C. Escucha y completa. Escribe *g* o *j*.

1. Me gusta ___ugar después de la escuela.

2. La clase de ___eografía es interesante.

3. Yo juego en la cancha o en el ___imnasio.

4. Mis ___uguetes están en la ca___a.

D. Compara y conversa.

1. ¿Tienen el mismo sonido las palabras con *j* y las palabras con *g*?

2. ¿Cuáles tienen el mismo sonido? ¿Cuáles tienen sonidos diferentes?

E. Conversa con un amigo o una amiga.

1. ¿Qué día es?

2. ¿Qué haces después de la escuela?

En la cancha de fútbol

A. Escucha y repite.

Mis amigos y yo jugamos fútbol en la cancha después de la escuela. En México medimos las canchas en metros.

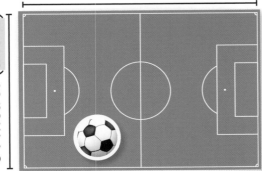

100 metros (largo)

64 metros (ancho)

120 yardas (largo)

53 yardas (ancho)

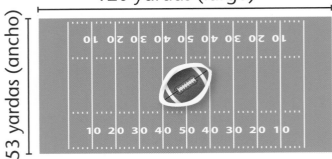

En Estados Unidos medimos las canchas de fútbol americano en yardas.

1 metro = 1.09 yardas

B. Completa.

1. La cancha de fútbol mide 100 _____ de largo y 64 metros de _____ .

2. La cancha de fútbol americano mide 53 _____ de ancho y 120 yardas de _____ .

C. Observa las canchas. Responde y conversa. Comunicación

1. ¿Qué es más largo, un metro o una yarda?

2. ¿Qué cancha es más larga?

3. ¿Qué cancha es más ancha?

Repasa

- las actividades después de la escuela
- las actividades de la semana
- los metros y las yardas

Aplica

1. Saluda a tus amigos.
2. Pregunta qué actividades tienen después de la escuela.
3. Pregunta si les gusta jugar fútbol o fútbol americano.
4. Describe qué actividades te gusta hacer en tus ratos libres.

¡A escribir!

Comunicación

Tema: Mi visita a México

PLANIFICA   ESCRIBE   REVISA   PRESENTA

Las vacaciones

Playa de Cancún en Quintana Roo

Comunicación

Vamos a la playa

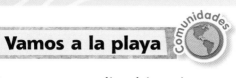

Comunidades

Me gusta estudiar historia.

Me gusta estudiar español.

Pero en las vacaciones

me gusta la playa y el sol.

Me gusta el agua y me gusta el sol.

Vamos a la playa. ¡Calienta el sol!

> ▶ Conversa.
>
> Me gusta ir...

¿A dónde vamos?

¡Bienvenidos al parque!

Parque de Palapas en Cancún

Amy: Me gusta ir a la escuela, ¡pero me gusta más ir de vacaciones!

Patricia: ¿A dónde te gusta ir de vacaciones?

John: A mí me gusta ir a la playa.

Amy: A mí me gusta ir al parque.

Patricia: ¿Con quién viajan en las vacaciones? Yo viajo con mi familia.

John: Amy y yo también viajamos con nuestra familia.

Patricia: ¿Qué quieren hacer hoy?

Amy: Hoy queremos visitar el Parque de Palapas.

John: ¿Cómo vamos al parque?

Patricia: ¡Vamos en bicicleta!

A. Escucha y repite.

| qué | quién | cómo | dónde |

B. Une.

1. ¿A dónde quiere ir de vacaciones?

a.

2. ¿Cómo quiere ir al parque?

b.

3. ¿Quién quiere ir de vacaciones?

c.

C. Escoge. Lee en voz alta.

1. ¿Quién viaja con John?
   a. la playa
   b. la familia
   c. la bicicleta
   d. el parque

2. ¿Cómo van los niños al parque?
   a. Van en bicicleta.
   b. Van a la playa.
   c. Porque están de vacaciones.
   d. Porque a John le gusta la escuela.

D. Conversa.

1. ¿A dónde vas de vacaciones?
2. ¿Con quién vas de vacaciones?
3. ¿Qué actividades haces cuando vas de vacaciones?

¡Vamos a las ruinas!

A. Escucha y repite.

Ruinas de Tulum en Quintana Roo

Patricia: Muchas personas visitan las ruinas de Tulum. También visitan la playa.

John: ¡Qué hermosa es la playa!

Amy: ¡Qué interesantes son las ruinas!

John: ¿Es aburrido o divertido aprender sobre las ruinas?

Patricia: ¡Es muy divertido!

Amy: ¡Me encanta México!

B. Completa.

> hermosa   divertido   interesantes
>
> aburrido   ruinas

1. Las _____ de Tulum son muy _____ .
2. A la gente también le gusta visitar la playa _____ .
3. No es _____ visitar las ruinas.
4. ¡Qué _____ es México!

C. Observa. Conversa con un amigo
o una amiga sobre las ruinas.

> ¡Qué hermosas son…!
> ¡Qué interesantes son…!
> ¡Qué divertidas son…!
> ¡Qué aburridas son…!
> ¡Me encantan…!

Ruinas de Chichén Itzá

Ruinas de Cobá

Ruinas de Muyil

D. Conversa.

1. ¿Qué lugar te gusta visitar en tu comunidad?
2. Describe el lugar.

¡Vamos al parque ecológico!

A. Escucha y repite.

Parque ecológico

Patricia visita un parque **ecológico** con sus amigos. El parque tiene ruinas, **animales**, actividades **culturales** y actividades **acuáticas**.

En el parque todos aprenden cosas nuevas. Patricia aprende a **nadar** con los peces. Amy aprende a **bailar** música **mexicana**. John aprende sobre la historia de México.

¡Es divertido aprender en el parque!

B. Compara y conversa. Compara un parque en México con un parque en tu comunidad.

Parque en México

Parque en mi comunidad

Repasa

- las vacaciones

Aplica

▶ Imagina que vas de vacaciones.

1. ¿A dónde vas?
2. ¿Qué lugares visitas?
3. ¿Con quién viajas?
4. ¿Qué aprendes en tus vacaciones?

Yo voy a la playa con mi familia. ¡La playa es muy divertida!

¿A dónde vas de vacaciones?

¡A escribir!

Comunicación

Tema: Mi visita a México

PLANIFICA   ESCRIBE   REVISA   PRESENTA

Comunicación

Yo quiero ver el saludo a la bandera.

Yo quiero ver a los mariachis.

Yo quiero ver el Ballet Folklórico en el Teatro México.

▶ Conversa.
- Habla sobre lo que quieres ver en tu comunidad.

Una página web

BELLASARTES

| DISCIPLINAS ARTISTICAS | PALACIO DE BELLAS ARTES | CENTRO CULTURAL DEL BOSQUE | MUSEOS Y GALERÍAS | CARTELERA | EDUCACIÓN E INVESTIGACIÓN | ACTIVIDADES ESPECIALES |

Cartelera
Eventos especiales

Actividades por Disciplina

Eventos especiales en la semana

Exposición de murales de Diego Rivera	Museo Nacional	lunes
Concierto de violines	Parque Chapultepec	martes
Concierto de mariachis	Plaza Garibaldi	miércoles
Ballet folklórico	Teatro México	jueves
Saludo a la bandera	El Zócalo	viernes

Exposición: Diego Rivera
Museo Tamayo Arte Contemporáneo
Los murales son hermosos, coloridos y muy interesantes. 16 de julio

> La página web tiene información sobre las actividades y los días de la semana.

> Mi tarea de la escuela es visitar la exposición de murales de Diego Rivera. En la página web dice que la exposición es el lunes.

A. Completa las oraciones. Lee en voz alta. Comunicación

exposición   eventos   tarea   concierto   murales

1. Patricia lee información sobre los _____ especiales en la página web.
2. La _____ de arte es el lunes.
3. El _____ de violines es en el Parque Chapultepec.
4. Patricia tiene una _____ de la escuela.
5. Patricia quiere ver los _____ de Diego Rivera.

B. Observa y conversa.

El mural es...

colorido   hermoso   grande   interesante

C. Responde y conversa.

1. ¿Qué información tiene la página web de Patricia?
2. ¿Por qué visita Patricia la página web?

Los eventos en la escuela

A. Escucha y repite.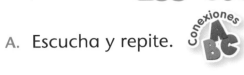

Yo soy Osvaldo. Yo vengo a marchar con la banda de la escuela. Mis amigos vienen a verme tocar el tambor y marchar.

Nosotros venimos a cantar con el coro de la escuela. John viene a vernos cantar.

B. Responde.

1. ¿Con quién viene Patricia?

2. ¿Con quién viene Osvaldo?

C. Completa la oración.

> | vienen | viene | venimos | vengo |

1. Nosotros _____ a cantar con el coro.
2. Mis amigos _____ a verme.
3. Yo _____ a marchar con la banda.
4. John _____ a verme.

D. Completa el diálogo. Lee en voz alta.

> | vengo | viene | vienen | venimos |

1. **Patricia:** ¿De dónde vienes?
   Amy: Yo _____ de Estados Unidos.

2. **Michelle:** ¿De dónde vienen ustedes?
   Francisco y Nancy: Nosotros _____ de la ciudad.

3. **John:** ¿De dónde viene Osvaldo?
   Patricia: Él _____ de la escuela.

4. **Michelle y Amy:** ¿De dónde vienen los niños del coro?
   Patricia: Ellos _____ de Cuernavaca.

E. Conversa con un amigo o una amiga.

1. ¿De dónde vienes?
2. ¿Quién viene contigo a la escuela?
3. ¿Quién viene a verte a tu casa?

Un partido de fútbol

A. Escucha y repite.

Patricia: Hoy jugamos un partido
de fútbol en mi escuela.
¡Jugar fútbol es muy fácil!
Yo juego como defensa.
Osvaldo juega como portero.
Los dos jugamos en equipos
diferentes.

Amy: Es un partido difícil. Tus
compañeros juegan muy bien.
Patricia, tú también juegas
muy bien. ¡Qué partido tan
divertido!

B. Completa.

juegas	juegan	jugamos	juego	juega

1. Patricia y Amy _____ fútbol.
2. Osvaldo no _____ en el mismo equipo que Patricia.
3. ¿_____ tú fútbol?
4. Mi equipo y yo _____ muy bien.
5. Yo _____ con mis compañeros de escuela.

C. Conversa con un amigo o una amiga.

1. ¿Juegas fútbol con tus amigos?
2. ¿Dónde juegan en tu comunidad?

Repasa

- las actividades en la escuela
- las actividades después de la escuela
- las vacaciones
- los eventos especiales

Aplica

1. ¿Qué actividades haces en la escuela?
2. ¿Qué actividades haces después de la escuela?
3. ¿Qué días de la semana tienes eventos especiales?
4. ¿Qué te gusta hacer durante las vacaciones?

Yo estudio español, inglés, matemáticas y ciencias en la escuela.

¡A escribir!

Comunicación

Tema: Mi visita a México

PLANIFICA   ESCRIBE   REVISA   PRESENTA

Unidad 4
Los animales

Voy a aprender sobre...

- las mascotas.
- los animales de la granja.
- las fábulas.
- los animales del zoológico.

CUBA

REPÚBLICA
DOMINICANA

HAITÍ

JAMAICA

BELICE

HONDURAS

NICARAGUA

COSTA
RICA

PANAMÁ

COLOMBIA

Descubre
Costa Rica

Las mascotas

En el teatro hay actores vestidos de mascotas.

¡Es muy divertido! A mí me gusta el perro.

¿Qué mascota te gusta, Felipe?

A mí me gusta el conejo.

Teatro Nacional en San José

Me gusta el conejo.

Me gusta el perro.

Me gusta el pájaro.

La fábula de las mascotas

▶ Conversa.

Me gusta...

Las mascotas de Felipe

Felipe: ¡Bienvenidos a mi casa! Ésta es mi coneja, Lola. No le gusta estar adentro de la jaula.

Amy: Lola es muy bonita y suave.

John: Y Pepe, tu perro, es muy grande y marrón.

Felipe: Pepe y Lola son buenos amigos.

John: Felipe, ¿quieres tener otras mascotas?

Felipe: ¡Por supuesto! Quiero tener un pez, un pájaro, un gato y un hámster.

Amy: ¿Podemos ir a una tienda de mascotas?

Felipe: Buena idea. ¡Vamos!

A. Lee en voz alta.

perro

pez

conejo

gato

pájaro

hámster

B. Responde.

1. ¿Qué mascotas tiene Felipe?
2. ¿Cómo se llaman las mascotas de Felipe?
3. ¿Cómo son las mascotas de Felipe?

C. ¿Cierto o falso?

1. John y Amy están en casa de Felipe.
2. Felipe tiene un gato y un caballo.
3. Lola y Pepe son animales.
4. Felipe tiene tres mascotas.

D. Conversa con un amigo o una amiga.

1. ¿Qué mascotas tienes?
2. ¿Qué mascotas quieres tener?

La tienda de mascotas

A. Escucha y repite.

Amy: ¿Qué vas a comprar, Felipe?

Felipe: Voy a comprar comida para mi coneja y un collar para mi perro.

Amy: ¡Miren! Ahí están los animales.

John: ¡Qué lindos son los pajaritos! Tienen un pico afilado, dos patas pequeñas y alas de colores. ¡Qué lindos son los colores de sus alas!

Felipe: ¡Miren a ese perrito! Tiene una cola muy peluda y graciosa, como los gatos.

John: Las patas de la tortuga también son graciosas, pero no son peludas como las de los gatos.

Amy: ¡Me encantan las mascotas!

B. Responde.

1. ¿Donde están John, Amy y Felipe?
2. ¿Qué van a comprar?

C. Observa la imagen. Completa las oraciones.

1. El _____ está al lado de la jaula.
2. El _____ está enfrente de la cama para perros.
3. La _____ está a la izquierda de la pecera.
4. La _____ está a la derecha del collar.

D. Conversa sobre la tienda de mascotas.

1. ¿Qué compras para un perro?
2. ¿Qué compras para un pájaro?
3. ¿Cómo son los pajaritos?
   ¿De qué color son? ¿Tienen patas?
   ¿Tienen pico? ¿Son peludos?

Los guacamayos

A. Escucha y repite.

La vecina de Felipe tiene un guacamayo.
El guacamayo es una mascota común en
Costa Rica. Los guacamayos son mascotas
amigables y divertidas. Algunos son azules
y amarillos. Otros son rojos y verdes. Los
guacamayos comen semillas y frutas.

B. Conversa con un amigo o una amiga. Comunicación

1. ¿Qué mascota es común en Costa Rica? ¿Cómo es?

2. ¿Qué mascota es común en tu comunidad? ¿Cómo es?

Repasa

- las mascotas
- las partes del cuerpo de los animales

Aplica

▶ Imagina que estás en una tienda de mascotas. Piensa qué puedes comprar en la tienda.

> Buenas tardes. Quiero comprar comida para mi perro.

1. Saluda al vendedor.
2. ¿Qué animales tienen?
3. ¿Cómo son los animales?
4. ¿Qué quieres comprar para tus mascotas?

¡A escribir!

Comunicación

Tema: Mi visita a Costa Rica

PLANIFICA   ESCRIBE   REVISA   PRESENTA

Los animales de la granja

Catarata de la Paz en Alajuela

Caballito nicoyano

Comunidades

Caballito, caballito,
caballito nicoyano,
que sabes de mis ternuras,
de mis amores, hermano;
con tu relincho pampero
y tu paso sin igual,
caballito nicoyano,
sos romance musical.

La vaca muge.
Ella hace ¡mu!

El caballo relincha.
Él hace ¡ihin!

▶ Conversa.

El caballo...

La vaca...

La granja del tío Zacarías

Granja de Zacarías en Alajuela

Felipe: ¡Bienvenidos a la granja de mi tío Zacarías! ¡La granja es muy divertida!

Amy: ¿Qué animales hay aquí?

Felipe: Hay caballos, vacas, ovejas, gallinas, cerdos...

John: ¿Hay cigüeñas y pingüinos?

Felipe: No, las cigüeñas y los pingüinos no viven en la granja.

Michelle: ¿Cómo cuida tu tío a los animales de la granja?

Felipe: Todos los días mi tío les da agua y comida. También los limpia y los ayuda a estar saludables.

A. Escoge. ¿Cuáles de estos animales no viven en la granja?

vaca   pingüino   gallina   cigüeña

B. Completa la tabla.

gallina   cerdo   gato   perro   oveja   hámster

animales de la granja	mascotas

C. Conversa con un amigo o una amiga.

1. ¿Por qué no cuida el tío Zacarías a los pingüinos?
2. ¿Cómo cuida el tío Zacarías a los animales de la granja?
3. ¿Cómo cuidas tú a tus mascotas?

¡A caminar por la granja!

A. Escucha y repite.

Michelle: ¿Nos puede mostrar su granja, don Zacarías?

Don Zacarías: Sí, pero necesitamos usar botas para caminar por el campo. Los zapatos y las sandalias se pueden dañar.

Felipe: Las botas nos protegen de animales como el zorro pelón y los sapos.

Don Zacarías: El zorro pelón es un animal que vive cerca de la granja. Se come las setas que plantamos.

Felipe: Las botas también nos protegen de la suciedad. Las usamos cuando limpiamos a los cerdos y los caballos.

Michelle: ¡Vamos a buscar las botas!

B. Escucha y repite. Luego contesta las preguntas.

zapato

sandalia

caballo

seta

zorro pelón

cerdo

1. ¿Cómo suena la *s*?
2. ¿Cómo suena la *z*?
3. ¿Cómo suena la *c*?

C. Identifica las palabras con el sonido *s*.

caballo   sapo   zorro   cerdo   cigüeña   cerca

D. Completa con la *c*, *s* o *z*.

1. _____ andalia
2. _____ apato
3. _____ erdo
4. _____ eta
5. _____ orro
6. _____ apo

Un ecosistema

A. Escucha y repite.

En un **ecosistema** hay **seres vivos** y **seres no vivos**. Los seres vivos y no vivos se necesitan. Los seres vivos son los animales y las **plantas**. Los seres no vivos son los **minerales**, el aire y el agua.

En los ecosistemas hay **productores**. Son seres vivos que hacen su propio **alimento**. Los productores son las plantas. El **proceso** de hacer su alimento se llama **fotosíntesis**. También hay **consumidores**. Son seres vivos que se alimentan de otros seres vivos. Los consumidores son los animales.

B. Conversa con un amigo o una amiga.

1. ¿Qué hay en un ecosistema?
2. ¿Cuáles son los seres vivos? Da un ejemplo.
3. ¿Cuáles son los seres no vivos? Da un ejemplo.

C. ¿Qué palabras de ciencias son similares en español y en inglés?

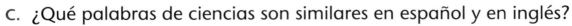

 ecosistema   productores   consumidores

 plantas   minerales   animales

Repasa

- los animales de la granja
- los ecosistemas

Aplica

▶ Imagina que vas con Felipe a la granja del tío Zacarías.

1. Saluda a don Zacarías.
2. Piensa en tu animal favorito y pregúntale si tiene ese animal en su granja.
3. Pregúntale cómo cuida a ese animal.
4. Despídete.

¡A escribir!

Comunicación

Tema: Mi visita a Costa Rica

PLANIFICA ESCRIBE REVISA PRESENTA

Las fábulas

¿Nos puedes leer una fábula?

Sí. ¡Me encanta leer cuentos de animales!

Parque Francisco Morazán en San José

Comunicación

Una fábula es un cuento en el que los personajes son animales.

Una moraleja es la lección que aprendes cuando lees una fábula.

¡A mí me gusta aprender las moralejas de las fábulas!

▶ Conversa.

> Una fábula es...

> Una moraleja es...

La zorra y la pantera

Felipe, Amy y John leen una fábula.

Un día la zorra y la pantera conversan acerca de su belleza. La pantera dice:

—Yo soy hermosa. Soy grande, fuerte y elegante. Además, tengo la piel más bonita y suave que tú.

Entonces, la zorra dice:

—Yo no tengo un cuerpo grande, fuerte y bonito como tú, pero tengo un corazón bueno. La belleza del cuerpo se va. La belleza del corazón no se va, nunca se pierde… ¡Dura para siempre!

Moraleja: La belleza del corazón es más importante que la belleza del cuerpo.

A. Completa. Lee en voz alta.

| zorra | moraleja | fábula | pantera |

1. Felipe lee una ⬚⬚⬚⬚⬚⬚.
2. La ⬚⬚⬚⬚⬚ tiene una piel bonita.
3. La ⬚⬚⬚⬚⬚ tiene un corazón bueno.
4. La ⬚⬚⬚⬚⬚ de la fábula enseña que es más importante la belleza del corazón que la del cuerpo.

B. Observa las fotos de una pantera y una zorra.

- Describe a cada animal.

pantera

zorra

C. Conversa con un amigo o una amiga.

1. ¿Qué es una fábula?
2. ¿Tienes fábulas en tus libros de inglés?
3. ¿En qué son similares las fábulas? ¿En qué se diferencian?

Fábulas y canciones de animales

A. Escucha y repite.

Templo de la Música en San José

Felipe: El Templo de la Música es un buen lugar para leer.

Amy: ¿Qué lees?

Felipe: Yo leo una fábula sobre los animales de Costa Rica. Es una fábula sobre el mono y el jaguar.

John: El Templo de la Música también es un buen lugar para tocar guitarra.

Amy: ¿Qué canción tocas?

John: Yo toco una canción sobre los tucanes y los pumas.

Amy: ¿Hay tucanes y pumas en Costa Rica?

Felipe: Sí, en Costa Rica hay tucanes y pumas. ¡Aquí hay muchos animales!

B. Responde.

1. ¿Quién está en el Templo de la Música?

2. ¿Qué hacen Felipe y John?

C. Lee las oraciones. Luego, contesta.

> Yo leo una fábula.

> John toca una canción.

1. ¿De quién habla cada oración?

2. ¿Qué hace la persona de cada oración?

D. Lee. Identifica quién y qué hace en cada oración.

Ejemplo: <u>El tucán</u> <u>vuela alto</u>.
¿quién?   ¿qué hace?

1. Amy, John y Felipe leen fábulas.

2. El puma y el mono viven en Costa Rica.

3. El mono corre y salta.

4. Ella tiene un tucán hermoso.

E. Une. Lee en voz alta.

¿Quién?		¿Qué hace?	
1.	El mono y el jaguar	a.	lee una fábula.
2.	Felipe	b.	visitan el Templo de la Música.
3.	Amy y John	c.	viven en Costa Rica.
4.	Yo	d.	aprendo sobre los animales.

Los animales de Costa Rica

A. Escucha y repite.

10 de julio

Querido diario:

¡Me gusta aprender sobre los animales de
Costa Rica!

Yo aprendo sobre los monos y los jaguares.
Los monos son muy divertidos. Los jaguares son
muy bonitos. John me habla sobre los tucanes
y los pumas. Aunque los tucanes son pájaros muy
hermosos, yo prefiero a los pumas. Los pumas son
grandes y fuertes.

A mí me encantan todos los animales de Costa
Rica, ¡pero mi animal favorito es mi mascota!

 jaguar

 mono

 puma

 tucán

B. Usa las palabras resaltadas para
conversar sobre los animales de
Costa Rica y Estados Unidos.

C. Compara los animales de Costa Rica
con los animales de Estados Unidos.
Usa el diagrama de Venn.

Animales de
Costa Rica

Animales de
Estados Unidos

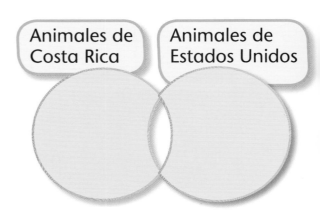

136 Unidad 4

Repasa

- las fábulas
- los animales de Costa Rica

Aplica

▶ Imagina que vas a la biblioteca y necesitas pedir libros de fábulas.

1. Saluda.
2. Describe el libro que necesitas.
   a. ¿Quiénes son los personajes?
   b. ¿Cómo son los personajes?
3. Da las gracias.
4. Despídete.

¡A escribir!

Tema: Mi visita a Costa Rica

Los animales del zoológico

Yo soy Marcos, su guía. ¿Qué animal quieren ver?

¡Yo quiero ver los tucanes!

¡Yo quiero ver los monos!

Parque Zoológico Nacional Simón Bolívar en San José

Yo quiero ver los monos porque tienen la cola muy larga.

Yo quiero ver los cocodrilos porque tienen la boca muy grande.

¡Y yo los ocelotes!

¡Yo quiero ver los cocodrilos!

Yo quiero ver los tucanes porque tienen el pico muy grande.

▶ Conversa.
• ¿Qué animal quieres ver en un zoológico?

Un videojuego

Mientras esperan para entrar al zoológico, John, Amy y Felipe juegan un videojuego.

Seleccionar jugador

Tote, el ocelote

Fino, el cocodrilo

Fita, la mona

Buscar la comida

¡Ya Fino el cocodrilo está listo!

NIVEL COMPLETADO

☆ 3500

primero

después

por último

A. Observa el videojuego. Une.

Comunicación

1. Tote, el ocelote,
2. Fino, el cocodrilo,
3. Fita, la mona,

a. está a la izquierda.
b. está entre la mona y el cocodrilo.
c. está a la derecha del ocelote.

B. Escoge la respuesta correcta.

1. ¿De qué es el videojuego?
   a. Es un videojuego de baloncesto.
   b. Es un videojuego de los animales de la granja.
   c. Es un videojuego de los animales del zoológico.
   d. Es un videojuego del teatro.

2. Para jugar el videojuego, ¿qué deben hacer primero?
   a. Terminar el juego.
   b. Seleccionar un jugador.
   c. Buscar la comida.
   d. Jugar otro nivel.

C. Completa la oración.

1. La mona es…
   a. bonita.
   b. bonitas.

2. Los ocelotes tienen las orejas…
   a. pequeña.
   b. pequeñas.

3. El cocodrilo tiene la boca…
   a. grande.
   b. grandes.

4. Los monos tienen la cola…
   a. larga.
   b. largas.

D. Conversa con un amigo o una amiga sobre el videojuego.

1. ¿Qué hacen primero?
2. ¿Qué hacen después?
3. ¿Qué hacen por último?

La visita al zoológico

Marcos: Nosotros cuidamos muy bien a todos los animales del zoológico.

Amy: El tucán es muy alegre y canta muy bonito.

Marcos: El tucán es un ave. Tiene un pico grande y colorido. Sus plumas son brillantes y negras.

Amy: ¿Y los guacamayos?

Marcos: Los guacamayos son amigos de los tucanes. Viven juntos.

Felipe: Sus colores son azul, amarillo y rojo. ¡Son hermosos! Los guacamayos y los tucanes comen frutas y semillas.

B. Completa. Lee en voz alta.

> comer   vivir   cuidar   cantar

1. A las aves les gusta ▒▒▒▒▒ frutas y semillas.
2. El tucán puede ▒▒▒▒▒ .
3. A los guacamayos y a los tucanes les gusta ▒▒▒▒▒ juntos.
4. Marcos quiere ▒▒▒▒▒ muy bien a los animales.

C. Responde.

1. ¿Dónde trabaja Marcos? ¿Qué hace?
2. ¿Cómo se llaman los animales que están adentro de la jaula? ¿Cómo son? ¿Qué comen?

D. Conversa con un amigo o una amiga sobre el zoológico de tu comunidad.

1. Di los nombres de los animales que te gustan.
2. Describe sus tamaños y cómo se ven.

> grande   pequeño   corto   largo   bonito

3. Compara dos de los animales.

> y   aunque   pero

4. Describe sus colores.

> rojo   azul   amarillo   verde
> anaranjado   negro   marrón   blanco

5. Di cuál es tu animal favorito.

John le escribe a Marcos

A. Escucha y repite.

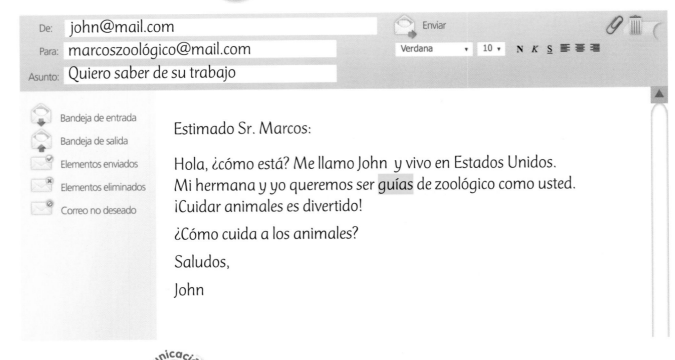

De: john@mail.com
Para: marcoszoológico@mail.com
Asunto: Quiero saber de su trabajo

Enviar

Verdana ▾ 10 ▾ **N** *K* <u>S</u> ☰ ☰ ☰

Bandeja de entrada
Bandeja de salida
Elementos enviados
Elementos eliminados
Correo no deseado

Estimado Sr. Marcos:

Hola, ¿cómo está? Me llamo John y vivo en Estados Unidos.
Mi hermana y yo queremos ser guías de zoológico como usted.
¡Cuidar animales es divertido!

¿Cómo cuida a los animales?

Saludos,

John

B. Conversa.

1. ¿Quién trabaja en el zoológico?

2. ¿Quién quiere ser guía de zoológico?

3. ¿Quieres ser guía de zoológico?

C. Imagina que eres Marcos. Escribe un correo electrónico a John.

1. Saluda a John.

2. Usa las siguientes palabras para describir tu trabajo.

> cuido   limpio   alimento   divertido   difícil   alegre

3. Despídete de John.

Repasa

- las mascotas
- los animales de la granja
- las fábulas
- los animales del zoológico

Aplica

1. ¿Qué animales viven en el zoológico?
   ¿Cómo son?
2. ¿Qué animales viven en la granja?
   ¿Cómo son?
3. ¿Qué animales tienen en la tienda de mascotas?
   ¿Cómo son?
4. ¿Cómo cuidas a los animales?

¡A escribir!

Tema: Mi visita a Costa Rica

Nos cuidamos

Restaurante Isla Bella

Menú del día

Platos principales

✴ Ensalada de aguacate

✴ Frijoles, puerco, tostones y arroz blanco

Postres

✴ Flan de guayaba

✴ Tres leches

Bebidas

✴ Agua de coco

✴ Batido de guanábana

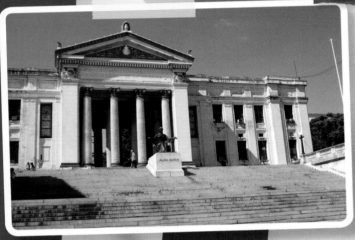

- los alimentos.
- las comidas.
- las sensaciones.
- la buena salud.

CUBA
1989

1

ESTADOS
UNIDOS

Key West

ISLAS
BAHAMAS

CUBA

JAMAICA

HONDURAS

Descubre
Cuba

Culturas

Los alimentos

Pablo, ¡esas fotos son muy bonitas!

Son de Cuba. Mi mamá es cubana. ¿Quieren comer o beber algo en el restaurante?

¡Sí, gracias! Tengo sed. Quiero beber agua.

Restaurante de la mamá de Pablo

148

Comunicación

Quiero comer arroz, frijoles, yuca y pollo. Quiero beber limonada.

Quiero comer hamburguesa y papas. Quiero beber agua.

Yo tengo hambre. Quiero comer papas.

▶ Conversa.

Quiero comer...

Quiero beber...

Los especiales del día

Restaurante de Gloria

Gloria: Hola. Yo soy la mamá de Pablo. ¡Bienvenidos a nuestro restaurante!

Michelle: Muchas gracias por invitarnos a comer. Los platos se ven ricos y los postres deliciosos.

Pablo: ¿Les gusta la comida cubana?

John: Sí. Quiero comer un sándwich cubano y beber un batido de guanábana. ¡Tengo sed!

Amy: Yo quiero comer arroz y frijoles. ¡Tengo hambre!

Michelle: ¿Cuál es el plato especial del día?

Gloria: Es un plato cubano: frijoles, puerco, tostones, arroz blanco y ensalada de aguacate. ¿Quieren probar?

Amy: ¡Sí, gracias!

A. Responde.

1. ¿Dónde están Amy, John y Michelle?
2. ¿Qué comida tienen en el restaurante?
3. ¿Qué quiere comer John?
4. ¿Qué quiere comer Amy?

B. Lee la lista de platos que preparó Gloria para el restaurante.

Especiales del día

Hoy

Frijoles, puerco,
tostones, arroz
blanco y ensalada
de aguacate

Ayer

Sándwich cubano
Batido de guanábana

Mañana

Ajiaco

1. ¿Qué es esta lista?
2. ¿Cuál de los especiales quieres comer?

C. Conversa.

1. ¿Qué haces cuando tienes hambre?
2. ¿Qué haces cuando tienes sed?

¡A poner la mesa!

Pablo: Gracias por ayudarme hoy con los cubiertos. Yo nunca pongo la mesa en mi casa. ¡No me gusta!

Amy: Yo siempre pongo la mesa en mi casa. ¡Poner la mesa es muy divertido! Necesitamos...

un plato	un vaso	una servilleta	un tenedor	una cuchara	un cuchillo

B. Observa la imagen. Contesta las preguntas.

1. ¿Qué está encima de la servilleta?
2. ¿Qué está a la izquierda del cuchillo?
3. ¿Qué está junto a la cuchara?
4. ¿Qué está enfrente del vaso?

C. Lee las oraciones. Señala la palabra que indica cuándo.

1. Amy siempre pone la mesa.
2. Pablo nunca pone la mesa.
3. Hoy Amy y Pablo ponen la mesa juntos.

D. Conversa.

• Imagina que pones la mesa en tu casa.

1. ¿Cuándo pones la mesa?
2. ¿Qué necesitas para poner la mesa?
3. ¿Dónde va el cuchillo?
4. ¿Qué pones junto al plato?

Una fruta típica de Cuba

A. Lee, escucha y repite.

Mercado de El Vedado en La Habana

El plátano es una fruta muy popular en Cuba.
Cuando los plátanos están amarillos, se cortan y se
fríen para hacer maduros. Los maduros tienen un
sabor dulce, pero se comen con la comida salada.
¡Los maduros son deliciosos con el arroz y los frijoles!

B. Conversa.

1. ¿Qué fruta es muy popular en Cuba?
2. ¿Qué fruta es muy popular en Estados Unidos?
3. Describe esa fruta.
4. ¿En qué se diferencian la fruta de Cuba y la de
   Estados Unidos?

Repasa

- las comidas
- cómo poner la mesa

Aplica

▶ Imagina que vas a comer al restaurante de la mamá de Pablo.

1. Saluda a la señora Gloria.
2. Pregunta por los especiales del día.
3. Pide un plato de comida cubana.

Quiero comer arroz.

Especiales del día

Sándwich cubano
Batido de guanábana

Frijoles, puerco y
tostones con arroz blanco
y ensalada de aguacate

Sopa de Ajiaco

¡A escribir!

Comunicación

Tema: Aprendo sobre Cuba

PLANIFICA   ESCRIBE   REVISA   PRESENTA

Las comidas

Foto de una fiesta en La Habana

Fiesta del barrio Comunidades

Fiesta del barrio, amigo,
fiesta del barrio.

En mi barrio, tan querido,
te digo yo con cariño,
chico: mueve esas manos
que todos somos hermanos.

En las fiestas yo como croquetas.

En las fiestas yo como pastel.

En las fiestas yo como sándwiches.

▶ Conversa.

En las fiestas yo como…

¿Qué comemos?

Restaurante Isla Bella

Menú del día

Bebidas

❋ Agua de coco

❋ Batido de guanábana

Platos principales

❋ Ensalada de aguacate

❋ Frijoles, puerco, tostones y arroz blanco

Postres

❋ Flan de guayaba

❋ Tres leches

John: Después de bailar y cantar, necesito beber algo. Tengo sed.

Amy: ¡Y yo tengo hambre! Me duele el estómago y la cabeza. También me duelen los pies de tanto bailar.

Pablo: Aquí está el menú del restaurante de mi tío. ¿Qué quieren?

John: Yo quiero agua de coco.¡Es una bebida fría y sabrosa!

Amy: Yo quiero los platos principales y un flan de guayaba. ¡Me encantan los postres!

A. Responde.

1. ¿Qué información tiene el menú?
2. ¿Qué le duele a Amy?
3. ¿Qué quiere comer Amy?
4. ¿Qué quiere beber John?
5. ¿Cuáles son los postres del menú?

B. Escoge.

1. Para beber necesito...
2. Para comer necesito...

un plato.

un vaso.

una servilleta.

un tenedor.

una cuchara.

C. Imagina que estás en el restaurante Isla Bella.

1. Escoge una bebida, un plato principal y un postre.
2. ¿Cómo es la comida? ¿Es rica? ¿Es dulce? ¿Es salada?

D. Conversa.

1. ¿Qué comidas del menú quieres comer?
2. ¿Son iguales o diferentes a las comidas que comes en tu casa?

Un día maravilloso

A. Escucha y repite. **Comunicación**

Playa en Key West

Hoy es un día maravilloso. Para el desayuno, vamos al restaurante a comer huevos y pan con mantequilla. Después vamos a la playa a buscar conchas para hacer collares. Mi mamá dice que la playa le recuerda el Malecón de La Habana en Cuba. Por último vamos al supermercado a comprar yuca, yogur y semillas de calabaza para el restaurante.

Malecón de La Habana

B. Responde.

1. ¿Dónde comen el desayuno Pablo y sus amigos?
2. ¿Qué comen para el desayuno?
3. ¿Qué hacen con las conchas?
4. ¿Qué compran en el supermercado?

C. Escucha y repite. Luego, contesta las preguntas.

semilla	orilla	playa	collares
desayuno	yuca	yogur	mantequilla

1. ¿Qué palabras tienen *y*? ¿Cómo suena la *y*?
2. ¿Qué palabras tienen *ll*? ¿Cómo suena la *ll*?

D. Escucha y escribe las palabras con *y* y con *ll* .

1.

2.

3.

4.

E. Conversa con un amigo o una amiga.

1. ¿Qué te gusta más, el yogur o el helado de vainilla?
2. ¿Qué te gusta más, el panecillo o la quesadilla?

La pirámide alimenticia

A. Lee, escucha y repite. *Conexiones*

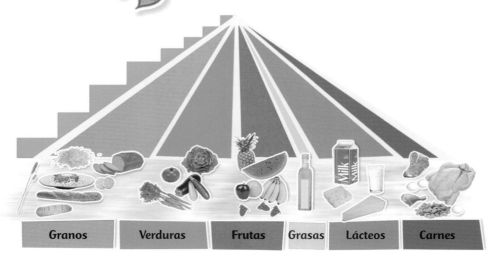

| Granos | Verduras | Frutas | Grasas | Lácteos | Carnes |

Amy: ¿Qué es la pirámide alimenticia?

Gloria: Es una ayuda para comer alimentos nutritivos. Debemos comer muchas verduras, frutas y granos. También debemos comer carnes, frijoles y lácteos. Debemos comer pocas grasas y dulces.

Michelle: Comer alimentos nutritivos es muy importante para nuestra salud.

Gloria: Los alimentos tienen vitaminas, minerales y proteínas.

John: ¡Y todo eso nos da energía para jugar y estudiar!

B. Responde. *Comunicación*

1. ¿Qué es la pirámide alimenticia?
2. ¿Qué alimentos debes comer?
3. ¿Qué palabras de ciencias son similares en español y en inglés?

pirámide	granos	energía	frutas
lácteos	proteínas	vitaminas	minerales

Repasa

- la comida
- la pirámide alimenticia

Aplica

▶ Imagina que comes en un restaurante cubano con un amigo.

1. Saluda.

2. Pide la comida, la bebida y el postre.

3. Conversa sobre los alimentos nutritivos.

4. Despídete.

Buenos días, señor. Quiero comer una ensalada de aguacate. ¡Es muy nutritiva!

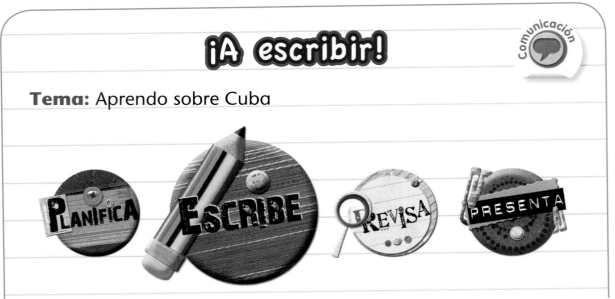

¡A escribir!

Comunicación

Tema: Aprendo sobre Cuba

PLANIFICA · ESCRIBE · REVISA · PRESENTA

Las sensaciones

Platos principales

Ensalada de aguacate

Frijoles, puerco, tostones y arroz blanco

Postres

Flan de guayaba

Tres leches

Menú de comida típica

Comunicación

Dame algo

Comunidades

Sabroso, rico,
dame algo con sabor.
Caliente, frío, salado,
dame algo con sabor.

Un poquito de arroz,
un poquito de sazón,
échale un poquito de tu corazón.

Me gusta comer comidas saladas.

Me gusta comer frutas dulces.

Me gusta beber batidos fríos.

▶ Conversa.

Me gusta comer...

Me gusta beber...

La comida en casa de Pablo

Michelle: Puedo ver que cocinas arroz. ¿Qué más cocinas?

Gloria: Cocino tostones y puerco. Pablo, ¿me puedes escuchar? Pon la mesa, por favor.

Pablo: Si ahora voy a poner la mesa. ¡Ya puedo oler la comida

Amy: ¡A mí me gusta más saborear la comida!

John: A mí me gusta tocar el pan caliente.

Pablo: ¡Es divertido comer con ustedes! Gracias por venir a nuestra casa.

A. Lee las oraciones.

Con mi **nariz** puedo oler.

Con mis **manos** puedo tocar el pan.

Con mis **ojos** puedo ver.

Pablo, pon la mesa.

Con mi **boca** puedo saborear la comida.   Con mis **oídos** puedo escuchar.

B. Responde.

1. ¿Qué puede hacer Michelle con sus ojos?
2. ¿Qué puede hacer John con sus manos?
3. ¿Qué puede hacer Amy con su boca?
4. ¿Qué puede hacer Pablo con su nariz?

C. Conversa.

1. ¿Qué haces con tu nariz, tu boca, tus manos, tus oídos y tus ojos?
2. ¿Quién cocina en la casa de Pablo?
   ¿Quién cocina en tu casa?
3. ¿Quién pone la mesa en la casa de Pablo?
   ¿Quién pone la mesa en tu casa?

¿Cómo te sientes?

A. Lee.

John se siente mal. Le duele la cabeza. También le duele el cuerpo. Amy busca a su mamá para ayudar a John.

Primero, la señora Michelle dice que John está resfriado y debe descansar. Después, ella dice que John debe beber mucha agua. Por último, la señora Michelle dice que John debe tomar una sopa de pollo caliente.

John descansa, bebe agua y toma sopa. ¡Ya se siente mejor!

B. Responde.

1. ¿Cómo se siente John? ¿Qué le duele?
2. ¿Qué dice la mamá de John?
   - ¿Qué dice primero?
   - ¿Qué dice después?
   - ¿Qué dice por último?

C. Observa la imagen. Conversa.

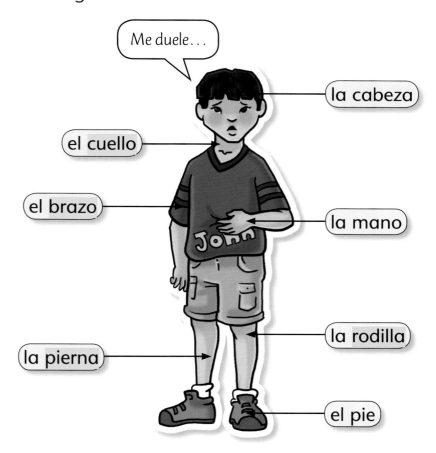

D. Conversa con un amigo o una amiga.

1. ¿Cómo te sientes?
2. ¿Qué te duele?
3. ¿Qué debes comer para sentirte mejor?
4. ¿Qué debes beber para sentirte mejor?

El mambo

A. Lee, escucha y repite.

Michelle: Gloria, ¿qué bailan ellos?

Gloria: Ellos bailan el mambo. Es una música típica de Cuba.

Amy: ¿Cómo se baila?

Pablo: Primero, une tus piernas. Después, da un paso con la pierna derecha a un lado. Por último, da otro paso para unir las piernas. Repite los pasos con la pierna izquierda. ¡Bailas muy bien!

Amy: ¡Qué divertido es bailar el mambo!

B. Conversa.

1. ¿Qué es el mambo? ¿Cómo se baila?
2. Compara el mambo con la música típica de Estados Unidos. ¿Es igual o diferente? ¿Por qué?

Repasa

- las sensaciones
- los sentidos
- las partes del cuerpo

Aplica

▶ Imagina que estás en una fiesta cubana con un amigo o una amiga.

1. Saluda a tu amigo o amiga.
2. Describe la ropa que llevas y la música que escuchas.
3. Describe cómo te sientes.
4. Enseña a tu amigo o amiga cómo bailar el mambo.
5. Di qué quieres comer y beber.
   - ¿Es dulce o salado?
   - ¿Es frío o caliente?

¡A escribir!

Comunicación

Tema: Aprendo sobre Cuba

PLANIFICA   ESCRIBE   REVISA   PRESENTA

La buena salud

Ésta es la Universidad de La Habana. Aquí hay consultorios médicos. Aquí los médicos ayudan a las personas a estar saludables.

ALMA MATER

Foto de la Universidad de La Habana

Yo como tres veces al día y me lavo los dientes después de comer.

Yo bailo y juego fútbol para estar saludable.

Yo duermo diez horas todos los días.

▶ Conversa.

• Di qué haces para estar saludable.

Una tira cómica

A. Completa las oraciones.

> doctor   dedo   duele   tira cómica   consejo   pie

1. Amy, John y Pablo leen una _____.
2. El _____ es un superhéroe.
3. La señora tiene un _____ roto.
4. A ella le _____ cuando se toca la cabeza.
5. A la señora también le duele cuando se toca el brazo
   o el _____.
6. El superhéroe le da un _____.

B. Responde.

1. ¿Quiénes son los personajes?
2. ¿Qué le duele a la señora?
3. ¿Qué hace el superhéroe?
4. ¿Es un buen doctor el superhéroe? ¿Por qué?
5. ¿Qué es una tira cómica?
6. ¿Por qué tienen dibujos las tiras cómicas?

C. Conversa.

1. ¿Te gustan las tiras cómicas?
   ¿Cuáles te gustan?
2. ¿Cuáles son tus
   superhéroes favoritos?

En el consultorio médico

A. Escucha y repite.

Amy: ¿Atiende usted a la gente enferma?

Luis: Sí, pero también atiendo a la gente sana. En el consultorio atendemos a mucha gente. Los médicos aprenden mucho cuando atienden a sus pacientes.

Michelle: Es una buena forma de aprender.

Gloria: ¿Atiendes tú a todos los pacientes?

Luis: Somos un grupo de médicos. Trabajamos juntos para atender a los pacientes y ayudarlos a estar sanos.

B. Responde. Usa oraciones completas.

1. ¿A quiénes atiende el doctor Luis?
2. ¿Qué hacen los médicos?
3. ¿Quiénes te atienden cuando tú vas al consultorio?

C. Observa las imágenes y repite.

Ayer en el consultorio...

Yo atendí a mis pacientes.

Tú atendiste a mi hijo.

Ella atendió a la señora.

Nosotros atendimos al señor.

Ellos atendieron al niño enfermo.

D. Completa. Lee la oración en voz alta.

1. El doctor (atendí / atendió) a Pablo.
2. Los doctores (atendiste / atendieron) a muchos pacientes.
3. Yo no (atendí / atendimos) a los enfermos.
4. Tú (atendió / atendiste) a la señora.

E. Conversa. Imagina que eres médico.

1. ¿Atiendes a la gente sana?
2. ¿A quién atendiste ayer?

Una visita médica

A. Escucha y repite.

Gloria: Cuando yo era niña y me enfermé, el médico me atendió en la casa de mi familia, en Cuba.

Pablo: Cuando yo me enfermé ayer, el médico no me atendió en mi casa. Él me atendió en su consultorio.

John: ¿Habla español tu médico?

Pablo: Mi médico habla dos idiomas, inglés y español. ¡Igual que nosotros!

B. Conversa.

1. ¿Dónde atendió el médico a Gloria cuando era niña? ¿En la casa o en el consultorio?

2. ¿Dónde te atiende tu médico a ti?

3. ¿Qué idioma, o idiomas, habla tu médico?

Repasa

- los alimentos
- las comidas
- las sensaciones
- la buena salud

Aplica

1. Describe cómo te cuidas.

   - ¿Qué comes?
   - ¿Qué ejercicios haces?
   - ¿Cómo te ayuda el doctor?

2. Explica cómo te atendió el doctor la última vez
   que visitaste su consultorio.

3. Conversa sobre las comidas y la música cubana.

¡A escribir!

Comunicación

Tema: Aprendo sobre Cuba

PLANIFICA   ESCRIBE   REVISA   PRESENTA

Nuestro ambiente

CORREOS DE CHILE

Voy a aprender sobre...

- las estaciones y el tiempo.
- los viajes y los mapas.
- la geografía y el clima.
- los lugares históricos.

PANAMÁ

VENEZUELA

TRINIDAD Y TOBAGO

GUYANA

GUAYANA FRANCESA

COLOMBIA

SURINAM

ECUADOR

BRASIL

PERÚ

BOLIVIA

PARAGUAY

CHILE

ARGENTINA

URUGUAY

Descubre
Chile

Culturas

CORREO AEREO - CHILE

Las estaciones y el tiempo

Me encanta venir a la Plaza de la Ciudadanía en el otoño. ¡Me gusta el fresco!

A mí me encanta venir a la plaza en el verano. ¡Me gusta el calor!

Plaza de la Ciudadanía en Santiago de Chile

¿Qué tiempo hace?

En el invierno hace frío.

En el verano hace calor.

En el otoño y en la primavera hace fresco.

A mí me gusta el verano, igual que a Lucas.

▶ Conversa.

En el verano hace...

En el otoño hace...

En el invierno hace...

En la primavera hace...

Las estaciones del año

El Reloj de las Flores en Viña del Mar

Michelle: ¡Qué bonito es este lugar!

Valentina: Ése es el Reloj de las Flores. ¡Es hermoso!

Lucas: Tiene muchos colores, como la primavera.

Amy: La primavera es mi estación favorita del año.
    ¡Me encanta ver las flores!

John: Mi estación favorita es el invierno. ¡Me encanta jugar
    con la nieve!

Lucas: Yo prefiero el calor del verano. ¡Me gusta nadar
    en el mar y jugar en la playa!

Valentina: Para mí, la mejor estación es el otoño.
    Me encanta ver caer las hojas.

A. Completa las oraciones. Lee en voz alta.

primavera

verano

otoño

invierno

1. A Valentina le gusta el ⬚⬚⬚⬚⬚. Le gusta ver caer las hojas.
2. La estación favorita de John es el ⬚⬚⬚⬚⬚.
3. A Lucas le gusta el ⬚⬚⬚⬚⬚. Le gusta ir a la playa.
4. Las flores son bonitas en la ⬚⬚⬚⬚⬚.

B. Observa el calendario. Identifica la estación del año.

C. Conversa. ¿Qué estación del año te gusta más? ¿Por qué?

El tiempo

A. Escucha y repite.

Lucas: Hoy está soleado. Hace buen tiempo para pasear por la ciudad.

John: Sí, es verdad. ¡Me gusta cuando hace sol y calor! Ayer no me gustó la lluvia.

Amy: A mí no me gustan los días lluviosos porque no puedo salir a jugar fútbol. Prefiero los días soleados o nublados.

John: ¿Qué tiempo hará mañana?

Lucas: Miren el pronóstico del tiempo en la televisión. Dice que mañana el día estará nublado y que en la tarde hará mal tiempo.

Mañana el día estará nublado. En la tarde hará mal tiempo.

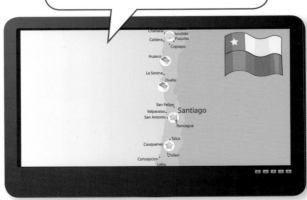

B. Completa el pronóstico del tiempo.

> soleado   nublado   lluvioso   mal tiempo   buen tiempo

1. Ayer el día estaba _____. No me gustó la lluvia.
2. Hoy el día está _____. Hace _____.
3. Mañana el día estará _____. Hará _____.

C. Identifica. ¿Cómo puedes saber el pronóstico del tiempo?

radio

televisión

periódico

Internet

D. Conversa.

1. ¿Te gusta cuando hace sol o cuando llueve?
   ¿Por qué?
2. ¿Qué tiempo hace hoy?

Las estaciones en Chile

A. Lee.

En el hemisferio sur las estaciones del año son en meses opuestos a las estaciones en el hemisferio norte. En Chile las vacaciones de verano de los estudiantes son en los meses de enero y febrero. Los meses de junio y julio son muy fríos en Chile. Hace fresco en los meses de septiembre y octubre.

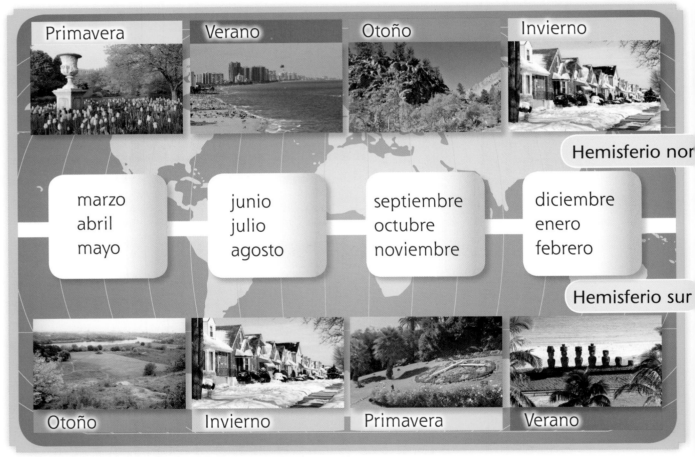

Primavera	Verano	Otoño	Invierno

Hemisferio nor

marzo abril mayo	junio julio agosto	septiembre octubre noviembre	diciembre enero febrero

Hemisferio sur

Otoño	Invierno	Primavera	Verano

B. Conversa con un amigo o una amiga.

- Escoge un mes.

  1. ¿Qué estación es en Estados Unidos?
     ¿Qué estación es en Chile?

  2. ¿En qué mes quieres visitar Chile? ¿Por qué?

Repasa

- los meses y las estaciones del año
- el estado del tiempo

Aplica

▶ Conversa sobre las estaciones del año.

1. ¿Cuáles son las estaciones del año?
2. ¿Qué actividades puedes hacer durante cada estación?
3. ¿Cuál es tu estación favorita?
4. ¿Cuáles son los meses de esa estación?
5. En esa estación, ¿hace frío, calor o fresco?

En el invierno hace frío.

En el verano hace calor.

En el otoño y en la primavera hace fresco.

¡A escribir!

Comunicación

Tema: Mi visita a Chile

PLANIFICA   ESCRIBE   REVISA   PRESENTA

Los viajes y los mapas

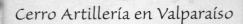

Cerro Artillería en Valparaíso

Chile querida

Chile,

Chile linda y querida.

Aquí va, aquí va, aquí viene.

Valdivia a Valparaíso.

Aquí va, aquí va, aquí viene.

Valdivia a Valparaíso.

Ciudades,

con color verde esperanza.

Aquí va, aquí va, aquí viene.

Aquí va verde esperanza.

Aquí va, aquí va, aquí viene.

Con amor todo se alcanza.

Me gusta ver las calles de la ciudad.

Me gusta ver los edificios.

Me gusta ver el puerto y los barcos.

▶ Conversa.

Me gusta ver...

Los medios de transporte

Plaza Sotomayor en Valparaíso

Valentina: Ya llegamos a la plaza. Podemos pasear por la ciudad en bicicleta.

John: Pasear en bicicleta es muy divertido.

Amy: A mí me gusta pasear en bicicleta, pero prefiero viajar en carro.

Michelle: ¡Amy siempre quiere viajar en carro! Valentina, ¿cuál es la mejor forma de viajar de aquí a Santiago, la ciudad capital?

Valentina: La forma más rápida de viajar a la ciudad capital es en avión. También pueden ir en carro o en autobús.

John: ¿Podemos viajar en tren?

Valentina: No, el tren no va a Santiago.

Lucas: ¿Quieren viajar a la costa en barco? ¡Podemos ver los pingüinos!

Amy: ¡Sí!

A. Escucha e identifica.

• carro   autobús   barco   tren   avión   bicicleta •

1.

2.

3.

4.

5.

6.

B. Completa las oraciones. Lee en voz alta.

1. A Amy le gusta pasear en _____ pero prefiere viajar en _____.

2. John, Amy y Michelle pueden ir a Santiago en avión, en carro o en _____.

3. La forma más rápida de viajar de Valparaíso a Santiago es en _____.

4. El _____ no va de Valparaíso a la ciudad capital.

5. Lucas quiere viajar en _____ para ir a ver los pingüinos.

C. Conversa con un amigo o una amiga.

1. ¿En qué viajas a tu escuela?

2. ¿En qué viajas a otras ciudades?

El mapa

A. Escucha y repite.

- Observa el mapa.

John: ¡Qué bueno que tenemos un mapa de Chile!

Lucas: ¡Sí! En el mapa podemos ver qué lugares están en el norte, el sur, el este y el oeste de Chile.

Amy: ¿Dónde están el norte, el sur, el este y el oeste? ¡Siempre me confundo!

John: El norte está arriba, el sur está abajo, el este está a la derecha y el oeste está a la izquierda.

Lucas: Por ejemplo, Pueblo Hundido está al norte de Santiago, y Puerto Aisén está al sur de Santiago.

John: Valdivia está en el oeste de Chile.

Amy: ¡Y Rancagua está en el este!

Lucas: ¡Exacto!

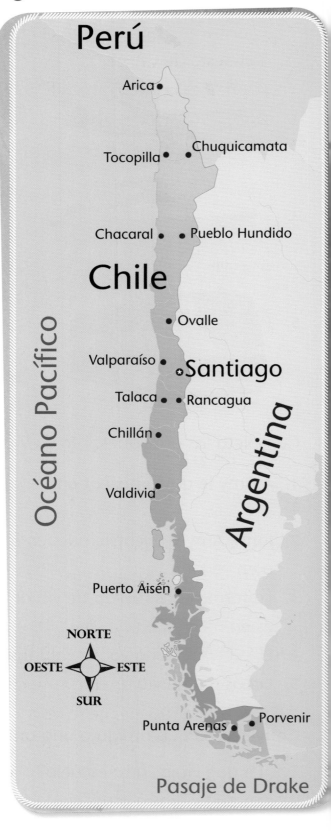

B. Responde. Usa oraciones completas.

1. ¿Qué tienen Amy, John y Lucas?
2. ¿Dónde está Valdivia, en el norte, el sur, el este
   o el oeste de Chile?
3. ¿Dónde está Pueblo Hundido?
4. ¿Dónde está Rancagua?
5. ¿Dónde está Puerto Aisén?

C. Escucha y repite. Identifica las vocales.

pue-blo   puer-to   ciu-dad

Val-di-via   au-to-bús   a-vión

D. Conversa con un amigo o una amiga.

1. ¿Qué palabras tienen dos vocales juntas?
2. ¿Qué palabras tienen la vocal i?
3. ¿Qué palabras tienen la vocal u?

Un largo viaje

A. Lee, escucha y repite.

Malecón en San Carlos de Arica

Michelle: Vamos al Valle de la Luna.

John: Con el mapa podemos saber la distancia entre Arica y el Valle de la Luna.

Lucas: En Chile medimos las distancias en kilómetros.

Amy: En Estados Unidos medimos las distancias en millas.

Michelle: Un kilómetro es igual a 0.6 millas. Entre Arica y el Valle de la Luna hay 800 kilómetros, o 500 millas.

John: ¡Es muy lejos!

B. Responde y conversa.

1. ¿Qué medio de transporte necesitas para llegar de Arica al Valle de la Luna?

2. ¿Cuál es la diferencia entre millas y kilómetros?

C. ¿Qué palabras son similares en español y en inglés?

> distancia   kilómetros   millas

Repasa

- los mapas
- los viajes y los medios de transporte

Aplica

▶ Imagina que planificas un viaje con tu familia.

1. ¿A qué país quieres ir? ¿Por qué?
2. ¿En qué medios de transporte necesitas viajar para llegar a ese país?

Quiero ir a Chile porque hay pingüinos.

Necesito viajar en avión para llegar.

¡A escribir!

Comunicación

Tema: Mi visita a Chile

PLANIFICA ESCRIBE REVISA PRESENTA

La geografía y el clima

El Valle de la Luna es el desierto más seco del mundo.

Nunca llueve en este lugar.

Valle de la Luna en San Pedro de Atacama

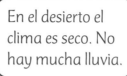

En el desierto el clima es seco. No hay mucha lluvia.

En el desierto el clima es caliente durante el día. Hace mucho sol.

► Conversa.

En el desierto...

En las montañas

Laguna del Inca en Portillo

Amy: En Chile hay muchas clases de climas y una geografía interesante.

Lucas: Sí. El Valle de la Luna es un desierto. El clima es caliente y siempre hace sol. Aquí en Portillo el clima es muy frío. En el invierno las montañas tienen nieve y podemos esquiar.

John: ¿Es eso un lago?

Lucas: Ésa es la Laguna del Inca.

Amy: ¡Es hermosa! ¿Qué otros lugares podemos conocer?

Lucas: Podemos ir al Lago Budi, el único lago de agua salada en Suramérica. También podemos ir al Río Imperial y al Volcán Parinacota.

John: ¡Hay muchos lugares interesantes en este país!

A. Responde.

1. ¿Cómo es el clima en el Valle de la Luna?

2. ¿Cómo es el clima en Portillo?

B. Escucha e identifica cada lugar.

| volcán | montaña | río | lago | desierto |

1.
2.
3.
4.
5.

C. Conversa con un amigo o una amiga.

1. ¿Cómo es el clima en el lugar donde vives?

2. ¿Hay desiertos, valles, montañas o volcanes en el lugar donde vives? ¿Cómo se llaman?

3. ¿Hay ríos o lagos en el lugar donde vives? ¿Cómo se llaman?

¿Frío o calor?

Lucas: En esta playa podemos descansar y disfrutar del calor todo el día. También podemos hacer castillos de arena. Aquí el clima es húmedo, pero no es lluvioso.

Michelle: Después de estar en el frío, me gusta sentir un poco de calor.

John: ¡Hace bastante calor! Mamá, dame un poco de agua, por favor.

Michelle: Bebe mucha agua. Te vas a sentir mejor.

Lucas: John, come algo frío. Cerca hay un lugar para comer helados. ¿Quieres un helado?

John: Sí, por favor. ¡Es muy delicioso!

B. Identifica las oraciones que dan un mandato o una orden.

1. Bebe mucha agua.
2. Me gusta sentir un poco de calor.
3. John, come algo frío.
4. Dame un poco de agua, por favor.

C. Lee y compara las oraciones.

El iglú es de hielo. El iglú está en la nieve.
El iglú es de hielo y está en la nieve.

Me gusta construir un castillo de arena. Prefiero construir un iglú.
Me gusta construir un castillo de arena, pero prefiero construir un iglú.

D. Une las oraciones. Escribe una nueva oración.

1. Me gusta mucho el frío. No me gusta el calor.
2. Quiero nadar en el lago. Quiero esquiar en la montaña.
3. El clima es frío. No hay nieve.
4. Llueve mucho. Hace mal tiempo.

E. Conversa con un amigo o una amiga. Usa mandatos.

1. Di a un amigo o una amiga qué hacer cuando tiene mucho calor.
2. Di a un amigo o una amiga qué hacer cuando tiene mucho frío.

El chamanto

A. Lee.

El chamanto es una ropa típica de Chile. Es similar a un poncho.
Se teje a mano y lo usan los vaqueros en las fiestas importantes.
El chamanto es un producto de la zona central de Chile.
Las ciudades más importantes de esa zona son Valparaíso,
Santiago y Concepción.
A veces los chilenos le regalan chamantos a visitantes
importantes de otros países.

B. Responde y conversa.

1. ¿Qué es un chamanto?
2. ¿Quiénes usan chamantos?

C. Conversa.

1. ¿Cómo son similares un chamanto y un poncho?
2. ¿Venden ponchos o chamantos en tu comunidad?

poncho

Repasa

- la geografía
- el clima

Aplica

▶ Planea un viaje a Chile con un amigo o una amiga.

1. Haz una lista de los lugares que quieres visitar.
2. Busca en el mapa de Chile dónde quedan los lugares y decide en qué medio de transporte vas a viajar.
3. Habla de la ropa que vas a llevar.
4. Escoge un mes. Conversa sobre la estación del año y el tiempo que hace en Chile en ese mes.

¡A escribir!

Comunicación

Tema: Mi visita a Chile

PLANIFICA   ESCRIBE   REVISA   PRESENTA

Los lugares históricos

Valentina, estamos muy contentos de estar aquí en la estación del tren. ¡Es un lugar lindo!

Espero que disfruten del paseo en tren.

¿A dónde vamos?

Vamos a visitar lugares históricos.

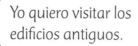

Yo quiero visitar los edificios antiguos.

Yo quiero visitar los monumentos y las plazas.

Yo quiero visitar los castillos y las ruinas.

Estación Central de Ferrocarril en Santiago

▶ Conversa.
- Habla sobre los lugares que quieres visitar.

Un pronóstico del tiempo

EL TIEMPO

El pronóstico del tiempo

jueves
soleado

viernes
parcialmente
soleado

sábado
posibilidad
de lluvia

domingo
posibilidad
de **tormentas**

El jueves, las condiciones son buenas
para visitar lugares **al aire libre**.
El sábado y domingo hará lluvia.
La próxima semana las condiciones
mejoran, ya que hará sol.

| parcialmente | lluvia | soleado | tormentas |

1. El domingo habrá posibilidad de _____ .
2. El viernes estará _____ soleado.
3. El sábado habrá posibilidad de _____ .
4. El jueves estará _____ .

B. Responde. Conexiones

1. ¿Qué es un pronóstico del tiempo?
2. ¿Dónde puedes leer el pronóstico del tiempo?
3. ¿Por qué es importante el pronóstico del tiempo?

C. Observa las imágenes. Escoge qué necesitas usar según Comunicación el pronóstico del tiempo.

• ¿Qué necesitas usar el jueves? ¿Y el sábado?

| paraguas | botas | lentes de sol | sombrero |

D. Conversa con un amigo o una amiga.

1. ¿Qué día de la semana hará buen tiempo?

   ¿Qué ropa debes usar ese día?

2. ¿Qué día hará mal tiempo?

   ¿Qué ropa debes usar?

Los monumentos

A. Lee, escucha y repite. comunicación

Monumento de Santa Lucía en Santiago de Chile

John: En el mapa electrónico veo que el Monumento
de Santa Lucía está cerca. ¡Ahí está!

Lucas: Es un monumento muy interesante. Yo lo visité
el año pasado.

Amy: ¿Qué es un monumento?

Lucas: Es un lugar lleno de historia. Los monumentos pueden
ser edificios, plazas, esculturas o ruinas.

Michelle: Cuando viajamos es bueno visitar los monumentos.
Podemos aprender más sobre la historia de cada lugar.

Lucas: La estación central que visitaron ayer es un monumento
histórico. Es la estación de tren más importante en el país.

John: ¿Tú visitaste muchos monumentos el año pasado?

Lucas: Sí, pero mi mamá visitó más. ¡A ella le encantan
los monumentos!

Amy: Nosotros también visitamos muchos monumentos.
¡Qué bueno es viajar!

B. Escoge.

1. John (visité / **visitó**) un monumento histórico.
2. Mi amigo y yo (visitaste / **visitamos**) la Estación Central de Santiago.
3. Lucas y su familia (**visitaron** / visitó) la Laguna del Inca.
4. Tú (**visitaste** / visité) el Valle de la Luna.
5. Ustedes (visitamos / **visitaron**) la Plaza de Colón.
6. Yo (**visité** / visitamos) el Reloj de las Flores.

C. Construye oraciones.

1. Completa la tabla con cinco monumentos que John, Amy y Michelle visitaron.

	monumento	país	
Yo visité		en Nicaragua.	
Tú visitaste		en Paraguay.	
Él/Ella/Usted visitó		en México.	
Nosotros visitamos		en Costa Rica.	
Ustedes visitaron		en Chile.	

2. Construye oraciones. Usa las palabras de la tabla.

D. Conversa con un amigo o una amiga.

- Habla de los monumentos que John, Amy y Michelle visitaron.

   1. ¿Cuál te gustó más? ¿Por qué?
   2. ¿En qué país está el monumento?

Una carta para John

El Castillo Wulff

El Palacio de la Moneda

7 de septiembre

Estimado John:

¿Cómo estás? Yo estoy feliz porque tú, Amy y la señora Michelle visitaron mi querido Chile. Te envío fotos del Castillo Wulff, la Biblioteca Nacional de Chile y el Palacio de la Moneda.

Puedes aprender más sobre estos lugares históricos en Internet.

Disfruta tu viaje.

Atentamente,

Lucas

La Biblioteca Nacional de Chile

B. Conversa con un amigo o una amiga.

1. ¿Qué lugares históricos conoces en tu comunidad?

2. De esos lugares, ¿cuáles visitaste?

3. ¿Te gustaron los lugares que visitaste? ¿Por qué?

Repasa

- las estaciones y el tiempo
- los viajes y los mapas
- la geografía y el clima
- los lugares históricos

Aplica

▶ Imagina que viajaste a Chile con tus compañeros de escuela.

1. ¿En qué mes viajaron? ¿Qué estación del año era en Chile?
2. ¿Cómo estaba el tiempo?
3. ¿Qué te gustó más, la montaña, el volcán, el desierto, el lago, el río o la playa?
4. ¿Qué medios de transporte usaron?
5. ¿Qué lugares históricos visitaron?

¡A escribir!

Comunicación

Tema: Mi visita a Chile

PLANIFICA   ESCRIBE   REVISA   PRESENTA

¿Cómo funciona

Voy a aprender sobre...

- el trabajo.
- la tecnología.
- las profesiones.
- el mundo del trabajo.

PANAMÁ

VENEZUELA

COLOMBIA

TRINIDAD Y TOBAGO

GUYANA

GUAYANA FRANCESA

SURINAM

ECUADOR

PERÚ

BRASIL

BOLIVIA

PARAGUAY

CHILE

ARGENTINA

URUGUAY

Descubre
Venezuela

Culturas

El trabajo

Gracias, por invitarnos a conocer el teatro, Carolina.

¡Es hermoso!

Aquí trabaja mi mamá. Ella es actriz. Cuando sea grande, yo quiero ser actriz, como ella. ¡También quiero ser astronauta!

Teatro Municipal en Valencia

216

Yo quiero ser actriz y astronauta.

Yo quiero ser doctora y bailarina.

Yo quiero ser músico y pintor.

▶ Conversa.

Yo quiero ser...

¡A actuar!

Carolina: Mamá, te presento a mis amigos.

Alicia: Mucho gusto. ¡Bienvenidos al teatro! Éste es el escenario.

Michelle: ¡Qué muchas personas trabajan aquí!

Alicia: Aquí trabajan actores, músicos, maquilladores y técnicos de iluminación. Todos trabajan para preparar el espectáculo.

John: Yo también trabajaré en el teatro. Estudiaré mucho y seré un gran músico.

Alicia: El esfuerzo y los estudios son importantes en cualquier profesión. Estudia mucho y no olvides el refrán: "Camarón que se duerme, se lo lleva la corriente".

A. Completa las oraciones. Lee en voz alta. comunicación

actores	teatro	refrán	esfuerzo	estudios

1. Alicia trabaja en el ⬚⬚⬚⬚⬚ .

2. Los ⬚⬚⬚⬚⬚ , los músicos y los maquilladores preparan el espectáculo.

3. El ⬚⬚⬚⬚⬚ y los ⬚⬚⬚⬚⬚ son importantes en todas las profesiones.

4. Un ⬚⬚⬚⬚⬚ te enseña un consejo o una lección importante.

B. Escucha. Une la profesión con lo que necesitarás para trabajar en ella.

1. música

a. maquillaje

2. maquilladora

b. luces

3. técnico de iluminación

c. instrumentos

C. Conversa. Imagina que estudias para trabajar en el teatro.

1. ¿Qué profesional serás?

Seré...

2. ¿Qué necesitarás para esa profesión?

Necesitaré...

Los profesionales del futuro

A. Escucha y repite. comunicación

El camerino de Alicia

Carolina: Soy la astronauta Carolina. Viajo rápidamente por el espacio. Busco nuevos amigos.

John: Yo soy el pintor John. Soy el mejor pintor del universo. Mis pinturas cambian el mundo lentamente. Un día todo será hermoso, como mi arte.

Amy: Yo soy la doctora Amy, ¡pero difícilmente una doctora puede ayudarlos a salvar el planeta! Necesito usar un disfraz de escultora, científica o ingeniera.

Carolina: ¡No necesitas cambiar tu disfraz! Una astronauta, un pintor y una doctora fácilmente pueden trabajar juntos para salvar y cuidar la Tierra.

B. Responde.

- ¿Dónde están John, Amy y Carolina? ¿Qué profesiones tienen?

C. Escucha e identifica.

| doctora | escultora | científico |
| ingeniera | pintor | astronauta |

1.

2.

3.

4.

5.

6.

D. Completa la tabla.

- Usa palabras del diálogo en la página anterior.

De manera...	¿Qué significa?
rápida	rápidamente
lenta	
difícil	
fácil	

E. Conversa con un amigo o una amiga.

1. ¿Qué haces rápidamente?
2. ¿Qué haces lentamente?

La hora de ir al trabajo

A. Lee y escucha.

Carolina: Mi papá es maestro. Él trabaja en mi escuela y enseña inglés. Nosotros nos levantamos muy temprano todos los días.

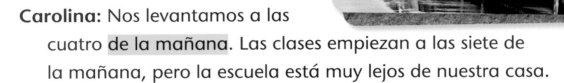

Amy: ¿A qué hora se levantan ustedes?

Carolina: Nos levantamos a las cuatro de la mañana. Las clases empiezan a las siete de la mañana, pero la escuela está muy lejos de nuestra casa.

John: Nosotros nos levantamos a las siete de la mañana para ir a la escuela. Las clases empiezan a las ocho de la mañana, pero la escuela está muy cerca de nuestra casa. Mi mamá entra al trabajo a las nueve de la mañana, pero se levanta a las seis de la mañana para preparar nuestro desayuno.

B. Responde.

1. ¿A qué hora se levantan Carolina y su papá?
2. ¿A qué hora se levantan Amy y John?
3. ¿Por qué el papá de Carolina se levanta temprano para ir al trabajo?

C. Conversa.

1. ¿A qué hora se levanta tu papá o tu mamá para ir al trabajo?
2. ¿Por qué se levanta a esa hora?

Repasa

- el trabajo y las profesiones

Aplica

▶ Imagina que eres un profesional.

1. ¿Qué profesional eres?
2. ¿Qué necesitas para trabajar?
3. ¿A qué hora te levantas para ir al trabajo?

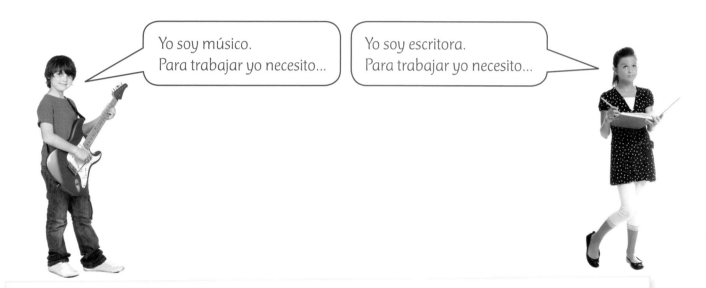

Yo soy músico.
Para trabajar yo necesito...

Yo soy escritora.
Para trabajar yo necesito...

¡A escribir!

Comunicación

Tema: Mi visita a Venezuela

PLANIFICA   ESCRIBE   REVISA   PRESENTA

La tecnología

Palacio de las Academias en Caracas

El futuro

 Comunidades

En el futuro,
yo quiero estudiar
ciencias y artes
en la capital.
Yo quiero viajar,
yo quiero volar
muy pronto al espacio
en mi nave espacial.

Yo usaré una nave espacial.

Yo usaré un robot.

Yo usaré una computadora.

▶ Conversa.

Yo usaré...

225

Los aparatos electrónicos

Alicia: Buenos días, don Francisco. Mi televisor está dañado.
¿Lo puede arreglar?

Francisco: Sí, yo puedo arreglar su televisor.

Carolina: Usted es un buen técnico, don Francisco.
¡Sabe arreglar muchos aparatos electrónicos!

Francisco: Gracias, Carolina. Me gusta aprender cómo
funcionan las cosas. A mi hijo también le gusta mucho
aprender sobre la tecnología. Él trabaja conmigo.
Arregla computadoras, cámaras de fotos, cámaras
de video, videojuegos y teléfonos celulares.

Carolina: A mí también me gusta la tecnología. ¡En el futuro
seré astronauta y arreglaré satélites en el espacio!

A. Escucha e identifica el aparato electrónico.

televisor	computadora	satélite
cámara de fotos	cámara de video	teléfono celular

1.

2.

3.

4.

5.

6.

B. Completa las oraciones.

satélites	computadoras	televisor
técnico	tecnología	aparato electrónico

1. Don Francisco es un _____ . Él arreglará el _____ .
2. El televisor es un _____ . La _____ del televisor es muy interesante.
3. El hijo de don Francisco arregla _____ .
4. Carolina arreglará _____ en el espacio.

C. Conversa.

1. ¿Qué aparatos electrónicos tienes?
2. ¿Qué haces cuando los aparatos electrónicos están dañados?

Tecnologías del futuro

A. Lee, escucha y repite.

Amy: ¿Qué hacen en el laboratorio?

Ingeniero Vélez: Construimos un satélite. Es una nave espacial que da vueltas alrededor de la Tierra.

Amy: ¿Qué harán con él?

Ingeniero Vélez: Lo enviaremos al espacio. Lo usaremos para enviar señales de comunicación por todo el planeta.

Carolina: ¿Podremos nosotros construir un satélite en el futuro?

Ingeniero Vélez: Sí. Ustedes son los inventores del futuro. Será difícil…

Amy, John y Carolina: ¡Pero estudiaremos y trabajaremos mucho!

B. Observa y repite.

na – ve   Vé – lez   ba – ta

C. Completa las oraciones con *b* o *v*. Lee en voz alta.

1. Los científicos y los ingenieros tra___ajan en el
   la___oratorio.
2. El ingeniero ___élez en___iará un satélite al espacio.
3. El satélite, un tipo de na___e espacial, dará ___ueltas
   alrededor del planeta.
4. Somos los in___entores del futuro.

D. Escucha. Completa las oraciones con *güe* o *güi*.

1. Mi invento favorito es un pin___no robot.
2. A mí me gusta la ci___ña mecánica.
3. A mí me gustan los inventos de la anti___dad.

E. Une las sílabas y forma las palabras. Luego, lee en voz alta.

1. se-ña-les
2. cons-truir
3. es-pa-cial
4. Tie-rra
5. in-ven-to-res
6. la-bo-ra-to-rio

La producción en serie

A. Lee, escucha y repite. 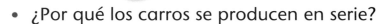 Conexiones

Ingeniero Vélez: Los satélites se construyen individualmente, pero los carros se producen en serie.

John: ¿Cómo funciona la producción en serie?

Fábrica de carros

Ingeniero Vélez: La producción en serie se hace dentro de una fábrica. Allí muchas personas trabajan rápidamente para fabricar un carro en pocas horas. Los trabajadores manufacturan muchos carros en un día.

B. Responde. Comunicación

• ¿Por qué los carros se producen en serie?

C. Escucha y responde. Comparaciones

• ¿Qué palabras de ciencias sociales son similares en español y en inglés?

producción en serie
fábrica
manufacturan

Repasa

- la tecnología
- los aparatos electrónicos
- las invenciones

Aplica

▶ Imagina que trabajas en la construcción de un satélite, un carro o un aparato electrónico.

1. ¿Qué construyes?
2. ¿Cómo lo construyes, individualmente o en serie?
3. ¿Será fácil o difícil de construir?
4. ¿Por qué es importante ese invento?

Yo construyo...

¡A escribir!

Comunicación

Tema: Mi visita a Venezuela

PLANIFICA ESCRIBE REVISA PRESENTA

Las profesiones

Galería de Arte Nacional en Caracas

Alma llanera Conexiones

Yo, yo nací en esta ribera
del Arauca vibrador.
Soy hermano de la espuma,
de las garzas, de las rosas.
Soy hermano de la espuma,
de las garzas, de las rosas
y del sol, y del sol.
Amo, lloro, canto, sueño,
con claveles de pasión,
con claveles de pasión.
Amo, lloro, canto, sueño,
para ornar las rubias crines
del potro de mi amador.

Me gusta actuar. Seré una buena actriz.

Me gusta tocar música y cantar. Seré un buen músico.

Me gusta bailar. Seré una buena bailarina.

▶ Conversa.

Me gusta...

Seré...

233

Las profesiones artísticas

Plaza Bolívar en Caracas

John: Mañana vamos a la galería. Allí podremos ver muchas pinturas y esculturas. También podemos escuchar cuentos folklóricos y música típica.

Carolina: A mí me gusta actuar como los personajes de los cuentos. En el futuro seré una gran astronauta y actriz.

Amy: ¡Y a mí me gusta bailar música típica! En el futuro seré una gran doctora y bailarina profesional. Para ser bailarina practicaré todos los días y cuidaré mi salud.

John: A mí me gusta escuchar y cantar música típica. Yo seré un gran músico. Para ser músico practicaré mucho. También aprenderé a pintar y hacer esculturas. Seré un gran pintor y escultor. ¡Todos seremos grandes artistas!

A. Completa las oraciones. Lee en voz alta.

> | | | |
> |---|---|---|
> | bailarina | actriz | músico |
> | artísticas | folklóricos | pinturas |

1. A John, Carolina y Amy les gustan las profesiones _____ .
2. Ellos quieren ver _____ y esculturas en la galería.
3. Amy será _____ y John será _____ .
4. Carolina actúa como los personajes de los cuentos _____ .
   Ella será _____ .

B. Observa las imágenes. Escribe una oración sobre los profesionales de cada foto.

1.

2.

3.

4.

C. Conversa.

1. ¿Qué profesión te gusta? ¿Por qué?
2. ¿Qué harás para ser un buen profesional?

Otras profesiones

A. Lee.

Museo de Ciencias en Caracas

Carolina: ¡Mira, papá! En el museo habrá una exhibición sobre las profesiones.

Michelle: Yo quiero aprender sobre las profesiones de las ciencias.

Amy: Don Gustavo, ¿cuáles son las profesiones de las ciencias?

Gustavo: En las ciencias hay profesiones como las de médico, enfermero, arqueólogo, ingeniero y científico.

John: Yo quiero aprender sobre todas las profesiones, como las de bombero, arquitecto, escritor, cocinero...

B. Conversa.

- ¿Qué palabras son similares en inglés y en español?

C. Escribe. Completa la oración.

1. Algunas profesiones artísticas son...

2. Algunas profesiones de las ciencias son...

D. Crea un diálogo. Lee las oraciones en voz alta.

| Te gustan las ciencias | No me gustan las ciencias |
| Yo estudié ciencias | Me encantan las ciencias |

Gustavo: _____ .   Carolina: ¡_____ !

Amy: ¿_____ ?   John: ¡_____ !

E. Escoge. Lee las oraciones en voz alta.

1. La (enfermero / enfermera) cuida a los enfermos.

2. El (cocinero / cocinera) prepara la comida.

3. El (arquitecto / arquitecta) diseña la casa.

4. La (arqueólogo / arqueóloga) estudia las pirámides.

5. El (bombero / bombera) apaga el fuego.

6. La (escritor / escritora) escribe un cuento.

F. Escoge. Lee en voz alta.

1. Amy será doctora (y / pero) primero ella tendrá
   que estudiar.

2. John estudiará para ser artista (y / pero) él será
   un gran músico.

3. Carolina irá al espacio (y / pero) ella también
   trabajará en el teatro.

Se busca trabajo

A. Lee, escucha y repite.

Michelle: Alicia, ¿qué haces?

Alicia: Ayudo a mi hermano Jaime a buscar trabajo. Él es abogado.

Michelle: Jaime, ¿buscarás trabajo por Internet?

Jaime: Sí, buscaré trabajo por Internet y en los anuncios clasificados del periódico. Luego enviaré información sobre mis estudios y mi foto.

Michelle: En Estados Unidos enviamos información sobre nuestros estudios, pero no enviamos una foto.

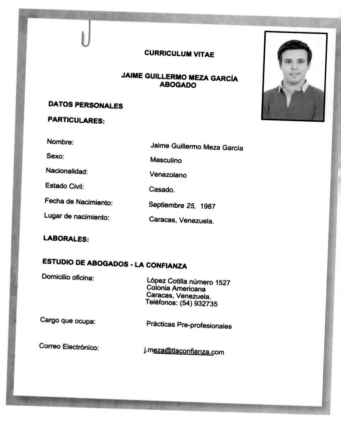

CURRICULUM VITAE

JAIME GUILLERMO MEZA GARCÍA
ABOGADO

DATOS PERSONALES PARTICULARES:

Nombre: Jaime Guillermo Meza García

Sexo: Masculino

Nacionalidad: Venezolano

Estado Civil: Casado.

Fecha de Nacimiento: Septiembre 25, 1987

Lugar de nacimiento: Caracas, Venezuela.

LABORALES:

ESTUDIO DE ABOGADOS - LA CONFIANZA

Domicilio oficina: López Cotilla número 1527
Colonia Americana
Caracas, Venezuela.
Teléfonos: (54) 932735

Cargo que ocupa: Prácticas Pre-profesionales

Correo Electrónico: j.meza@tlaconfianza.com

B. Responde.

1. ¿Qué profesional es Jaime?
2. ¿Qué profesional quieres ser tú?
3. ¿Dónde puedes buscar información sobre un trabajo?
4. ¿Prefieres buscar por Internet o en los anuncios clasificados del periódico? ¿Qué piensas que es más fácil?
5. ¿Qué enviarás si buscas un trabajo en Venezuela?
6. ¿Qué enviarás si buscas un trabajo en Estados Unidos?

Repasa

- las profesiones

Aplica

1. ¿En qué profesión trabajarás? ¿Por qué?
2. ¿Qué trabajo harás?
3. ¿Cómo buscarás trabajo?

> Yo seré una bailarina porque me encanta bailar. Bailaré en espectáculos. Buscaré trabajo por Internet.

¡A escribir!

Comunicación

Tema: Mi visita a Venezuela

PLANIFICA   ESCRIBE   REVISA   PRESENTA

El mundo del trabajo

Yo soy fotógrafa. Tomo fotos. Trabajo en el campo. Y ustedes, ¿dónde trabajarán?

Salto Ángel en Bolívar

Seré astronauta. Trabajaré en el espacio. Allí arreglaré los satélites rotos.

Seré músico. Trabajaré en el teatro. Allí cantaré y tocaré la guitarra.

Seré doctora. Trabajaré en el hospital. Allí cuidaré a los enfermos.

▶ Conversa.

- Habla sobre qué profesional serás, donde trabajarás y qué trabajo harás.

Un videojuego espacial

A. Completa las oraciones. Lee en voz alta.

Comunicación

| arreglan | ganan | juegan | seleccionan |

1. Amy, John y Carolina _____ un videojuego.
2. Primero, ellos _____ los personajes del juego.
3. Después, los personajes _____ un satélite espacial.
4. Por último, ellos _____ muchos puntos.

B. Responde.

1. ¿De qué es el videojuego de Carolina?
2. ¿Cuál es la misión del juego?
3. ¿Conoces videojuegos de otras profesiones?
   ¿Qué profesiones son?

C. Escoge la respuesta correcta.

1. ¿Qué personaje está más cerca del satélite?
   a. Bruno Lunar
   b. Capitana Espacial
   c. Antenas
   d. John

2. ¿Cómo ganarán más puntos los niños?
   a. Llegarán primero al satélite.
   b. Viajarán a una estrella.
   c. Volarán a otros planetas.
   d. Trabajarán rápidamente.

D. Conversa.

1. ¿Para qué son los videojuegos?
2. ¿Conoces algún videojuego espacial? ¿Cómo es?

¡A trabajar!

A. Escucha y repite. Conexiones ABC

B. Escoge. Lee las oraciones en voz alta.

1. Mis amigos (trabajaré / trabajarán) en una escuela.
2. Tú (trabajarás / trabajaremos) mucho para ser bailarina profesional.
3. Yo (trabajará / trabajaré) inventando nuevas tecnologías.
4. La mamá de John (trabajará / trabajarán) haciendo esculturas.
5. Mi mamá y yo (trabajaré / trabajaremos) en el teatro.

C. Conversa con un amigo o una amiga.

1. ¿Dónde trabajarás?
2. ¿Dónde trabajará tu amigo o amiga?
3. ¿Con quién trabajarán tú y tu amigo?
4. ¿Cómo trabajarás, rápidamente o lentamente?

D. Construye oraciones.

Yo	cantaré	un cuento folklórico.
	estudiaré	para ser astronauta.
	escribiré	un aparato electrónico.
	seré	una canción típica.
	construiré	un actor.

E. Responde y conversa.

1. ¿Qué profesional serás cuando seas grande?

Seré...

2. ¿A qué hora trabajarás?

Trabajaré...

3. ¿A dónde viajarás?

Viajaré...

4. ¿Qué construirás?

Construiré...

5. ¿Qué tecnología usarás?

Usaré...

Planeando el futuro

A. Lee. *Comunidades*

Michelle: Pronto nos **iremos** de Venezuela y aún nos falta ver muchos lugares. Hoy **viajaremos** a la **selva** venezolana. ¡Ahí **veremos** muchas plantas y animales!

Amy: ¿Viajaremos a la playa mañana?

Michelle: Sí, mañana viajaremos en avión hasta la playa. Buscaré más información sobre la selva y las playas de Venezuela en Internet. Así planearé nuestro viaje a esos lugares.

Amy: ¡Me gusta planear los viajes con mi familia!

B. Conversa. *Comunicación*

1. ¿A qué lugares viajarán Amy, John y Michelle?
2. ¿Planearás una actividad divertida con tu familia? ¿Qué harás?
3. ¿Dónde buscarás información para planear esa actividad?

Repasa

- el trabajo y las profesiones
- la tecnología
- el mundo del trabajo
- los planes para el futuro

Aplica

▶ Imagina que construirás un nuevo aparato electrónico para profesionales.

1. ¿Qué profesional serás?
2. ¿Dónde trabajarás?
3. ¿Qué aparato electrónico construirás?
4. ¿Qué profesionales usarán esa tecnología?
5. ¿En qué lugares de trabajo usarán esa tecnología?

Yo construiré una nueva nave espacial. Los ingenieros y los astronautas usarán esta nave espacial...

¡A escribir!

Comunicación

Tema: Mi visita a Venezuela

PLANIFICA ESCRIBE REVISA PRESENTA

Nuestras celebraciones

Voy a aprender sobre...

- las celebraciones.
- las costumbres y tradiciones.
- las fiestas.
- los personajes históricos.

Descubre
España

Las celebraciones

Plaza Mayor en Madrid

¡Feliz Año Nuevo!

¿Cómo celebran en España el fin del año?

Celebramos el fin del año con familiares y amigos.

Celebramos con música y bailes.

▶ Conversa.

Celebramos...

La Nochevieja

Puerta del Sol en Madrid

Fermín: Yo soy Fermín y ésta es mi mamá, Irene.

Michelle: Encantada de conocerla.

Irene: Gracias, Michelle ¿Les gusta este lugar?

Amy: ¡A mí me encanta! ¿Cómo se llama esta plaza?

Irene: Se llama la Puerta del Sol. Estamos enfrente de la
Casa de Correos, un edificio muy antiguo.

Fermín: Este lugar es muy importante. Muchos españoles
celebramos aquí la Nochevieja.

Irene: La Nochevieja es la última noche del año y la
celebramos con doce campanadas a la medianoche.
Así despedimos el Año Viejo y recibimos el Año Nuevo.

Fermín: Cuando suena la campana, comemos una uva.
Son doce campanadas, así que comemos doce uvas.
Es una antigua tradición española.

John: ¡Qué celebración divertida!

Fermín: ¡Sí! La despedida del año aquí nunca es aburrida.

A. Completa las siguientes oraciones. Lee en voz alta.

Nochevieja	tradición	Año Nuevo
Año Viejo	divertida	aburrida

1. Fermín celebra la _____ en la Puerta del Sol.
2. Es una _____ comer doce uvas antes de la medianoche.
3. En la celebración, Fermín despide el _____
   y recibe el _____ .
4. La fiesta de Nochevieja es muy _____ .
   Nunca es _____ .

B. Responde.

1. ¿Cuándo celebran la Nochevieja los españoles?
2. ¿Dónde celebran la Nochevieja Fermín y su familia?
3. ¿Cómo celebran la Nochevieja Fermín y su familia?

C. Conversa con un amigo o una amiga.

1. ¿Dónde celebras la despedida del año?
2. ¿Cómo celebras la despedida del año?
3. ¿En qué se parecen las celebraciones de fin
   del año en España y en tu comunidad?

El Día de la Hispanidad

A. Lee y escucha.

Fermín: El 12 de octubre celebramos el Día de la Hispanidad en la Plaza de Colón.

Irene: Es una celebración para recordar el día en que Cristóbal Colón llegó a América por primera vez. Ese día se unieron la cultura europea y la cultura indígena.

Fermín: Conmemoramos ese día con desfiles muy bonitos.

John: El 12 de octubre también se celebra en otras partes del mundo. En algunos países, como México, ese día se festeja el Día de la Raza.

Michelle: En Estados Unidos celebramos el Día de Colón el segundo lunes de octubre.

Plaza de Colón en Madrid

B. Relaciona la celebración con el país. Conversa.

1. El Día de la Hispanidad   a. se celebra en .

2. El Día de la Raza   b. se celebra en .

3. El Día de Colón   c. se celebra en .

C. Lee las oraciones. Identifica las palabras que tienen el mismo significado.

1. Los españoles celebran el Día de la Hispanidad.
   Ellos festejan en la Plaza de Colón.
2. El 12 de octubre recordamos el viaje de Colón a América.
   Conmemoramos ese día con desfiles.
3. Los españoles tienen viejas tradiciones.
   Es una tradición antigua celebrar en las plazas del país.

D. Lee las oraciones. Identifica las palabras que tienen significados opuestos.

1. Los desfiles del Día de la Hispanidad son divertidos.
   Irene y Fermín no están aburridos en la celebración.
2. España es parte del viejo mundo.
   Estados Unidos es parte del nuevo mundo.
3. Fermín es el primero en llegar a la plaza.
   ¡Él es el último en llegar a su casa!

E. Construye oraciones. Lee en voz alta.

En España celebran	el Día de la Hispanidad	en octubre.
Yo celebro	el Día de Colón	en diciembre.
Mis amigos y yo celebramos	la Nochevieja	en la plaza.

F. Compara y conversa con un amigo o una amiga.

1. ¿Qué celebran los españoles el 12 de octubre?
   ¿Cómo celebran?
2. ¿Qué día histórico celebras tú en el mes de octubre?
   ¿Cómo celebras?

La Noche de San Juan

A. Lee, escucha y repite.

San Juan en Alicante

Fermín: ¡Hola! Miren estas fotos de la celebración de la Noche de San Juan. Estamos frente al mar.

Amy: ¿Qué es la Noche de San Juan?

Fermín: Es una celebración que festejamos el 23 de junio para celebrar la noche más corta del año. Por la noche hacemos fogatas y nadamos en el mar.

John: ¿Te gusta mucho celebrar la Noche de San Juan?

Fermín: ¡Sí! La Noche de San Juan es mi celebración favorita.

B. Responde. Comunicación

1. ¿Cuándo se celebra la Noche de San Juan?
2. ¿Cómo celebran los españoles la Noche de San Juan?

C. Conversa con un amigo o una amiga.

- ¿Cuál es tu celebración favorita?

Repasa

- las celebraciones

Aplica

▶ Imagina que estás en una celebración en España.

1. ¿Qué fiesta celebras?
2. ¿Dónde celebras la fiesta?
3. ¿Cómo celebras la fiesta? ¿Cuál es la tradición?

¡A escribir!

Comunicación

Tema: Mi visita a España

PLANIFICA ESCRIBE REVISA PRESENTA

Las costumbres y tradiciones

Puente en Toledo

Y viva España

Comunidades

Entre flores,
fandanguillos y alegrías
nació mi España,
la tierra del amor.
Por eso se oye este refrán:
¡Qué viva España!
Y siempre la recordarán.
¡Qué viva España!
La gente canta con ardor:
¡Qué viva España!
La vida tiene otro sabor,
y España es la mejor.

Me gusta cantar cuando celebramos una victoria.

Me gusta cantar cuando celebramos un carnaval.

▶ Conversa.

Me gusta cantar cuando...

La Feria de Abril

Feria de Abril en Sevilla

Irene: La Feria de Abril, en Sevilla, es una de mis celebraciones culturales favoritas. Es una celebración para comer, bailar, cantar y compartir con los amigos.

Amy: ¿Es bonita la feria?

Irene: ¡Es hermosa! En la feria hay miles de luces y casetas de colores. Las casetas son lugares para compartir con las familias y los amigos.

Fermín: Muchas personas van a la Feria de Abril todos los años para ver las decoraciones de colores. También van a la feria para comer platos típicos españoles.

Irene: Mis amigas y yo cantaremos música sevillana y bailaremos flamenco en la feria.

Fermín: ¡A mí me encanta comer en la feria!

Amy y John: ¡Queremos ir a la Feria de Abril!

A. Completa las oraciones. Lee en voz alta.

> feria   casetas   luces   platos
>
> hermosa   cultural   flamenco   sevillana

1. Los sevillanos celebran una   en abril.
2. La feria es   .
3. En la feria hay miles de   y   de colores.
4. Irene canta música   y baila   .
5. Fermín come   típicos de España.
6. La Feria de Abril es una celebración   importante.

B. Responde.

1. ¿Qué es la Feria de Abril? ¿Dónde se celebra?
2. ¿Cómo es la Feria de Abril?
3. ¿Qué hacen Irene y Fermín en la feria?

C. Compara y conversa.

1. ¿Qué feria celebran en tu comunidad?
2. ¿Cómo la celebran?
3. ¿Es igual o diferente a la celebración de la feria en Sevilla?

La música sevillana

A. Escucha y repite.

En la Feria de Abril tocarán
música sevillana. Durante la
celebración, todos cantarán y
bailarán flamenco. El flamenco
es un baile típico español. Las
flamencas llevarán vestidos con
volantes. Los bailarines llevarán
zapatos ruidosos.

¡Será un sueño bailar en la feria!

B. Responde.

1. ¿Qué palabras tienen el sonido *s*?
2. ¿Qué palabras tienen el sonido *r*?

C. Completa la tabla. Escribe una palabra con cada sonido.

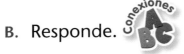

ai	ia	io	ue	ui

D. Completa las palabras con *b* o *v*. Lee las oraciones en voz alta.

1. Yo ___oy a la Feria de A___ril en Se___illa.
2. Cantaré y ___ailaré música se___illana en la cele___ración.
3. Los ___ailarines lle___arán zapatos especiales para ___ailar
   flamenco.
4. Las flamencas lle___arán ___estidos con ___olantes muy ___onitos.

E. Escucha y repite. Identifica las palabras con sonidos similares.

> En la feria comeré una rica comida de Sevilla: un gazpacho, un jamón y unas tapas, un pescado frito y una tortilla con papas.

F. Completa. Lee en voz alta.

y   ll

Amy: ¡Ya quiero   egar a la Feria de Abril! Quiero ver los vestidos que   evan las bailarinas.

John: o quiero comer comida sevi   ana.

Fermín: La torti   a con papas es mi comida favorita.

Amy: ¡Será un día maravi   oso!

G. Completa. Lee en voz alta.

c   s   z

1. En   evilla muchas per   onas comen ga   pacho.
2. La   tapas   on platos de   omida pequeños.
3. El pes   ado es la comida típi   a de la feria.
4. Los e   pañoles comen con sus amigo   en las ca   etas.

H. Conversa con un amigo o una amiga. Comunicación

- ¿Qué comida comerás hoy?

La paella

A. Lee, escucha y repite.

La ciudad de Valencia es famosa por sus fiestas. Un plato muy popular en las celebraciones es la paella.

Una receta de paella

Ingredientes:

arroz
aceite
tomates
mariscos
pimientos
azafrán
agua
sal

Preparación:

1. Cocinar las verduras en aceite.
2. Cocinar los mariscos en aceite.
3. Combinar las verduras, los mariscos, el arroz, el azafrán, la sal y el agua.
4. Cocinar hasta que el arroz esté suave.

B. Responde. Comunicación

1. ¿Dónde es popular la paella?
2. ¿Qué haces primero, después y por último para cocinar una paella?

C. Conversa.

1. ¿Qué plato similar a la paella conoces?
2. ¿Qué platos son populares en tu comunidad?

Repasa

- las costumbres y tradiciones
- las fiestas
- la música típica
- la comida típica

Aplica

▶ Imagina que irás a la Feria de Abril en Sevilla.

1. ¿Cómo será la feria?
2. ¿Qué comerás?
3. ¿Qué música bailarás?

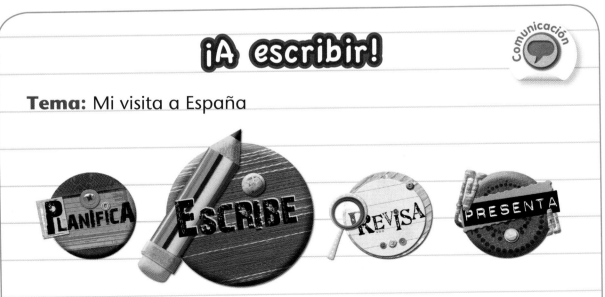

¡A escribir!

Tema: Mi visita a España

PLANIFICA   ESCRIBE   REVISA   PRESENTA

Las fiestas

El carnaval de Tenerife es uno de los carnavales más grandes del mundo.

El carnaval se celebra en febrero.

¡Yo celebraré el carnaval todos los años!

Carnaval en Tenerife

Yo celebraré el Año Nuevo en enero.

Yo celebraré el carnaval en febrero.

Yo celebraré el Día de la Madre en mayo.

▶ Conversa.

Yo celebraré...

La Tomatina

Calle en Buñol, Valencia

Amy: ¿Qué hacen esas personas?

Fermín: Participan en la Tomatina, una "guerra" de tomates. Es una fiesta muy tradicional. La celebramos el último miércoles de agosto en el pueblo de Buñol, en Valencia.

John: ¡Se ve muy divertida!

Fermín: Sí, es muy divertida. Esta tradición empezó hace muchos años cuando unos jóvenes se lanzaron tomates en la plaza. Los jóvenes tuvieron que pagar por los tomates y después limpiar la plaza. Al año siguiente, la gente del pueblo se unió a la guerra de tomates. ¡Todos participaron!

Amy: ¿Lanzan tomates todos los años en la plaza del pueblo?

Fermín: Sí. Todos los años las personas lanzan miles de tomates. Después comen tapas y paella para celebrar.

A. Completa las oraciones. Lee en voz alta.

tomates	pueblo	tradicional
lanzar	pagar	limpiar

1. La Tomatina es una fiesta _____ .
2. La fiesta se celebra en el _____ de Buñol, cerca de la ciudad de Valencia.
3. Durante la celebración, las personas pueden _____ muchos _____ .
4. Los jóvenes tienen que _____ por los tomates y _____ la plaza.

B. Observa las imágenes. Responde.

1. ¿Quieres participar en una guerra de nieve? ¿Por qué?
2. ¿Quieres participar en una guerra de tomates? ¿Por qué?
3. ¿En qué son similares estas actividades? ¿En qué se diferencian?

C. Conversa con un amigo o una amiga.

- ¿Qué haces en las fiestas de tu comunidad?

El carnaval de Tenerife

A. Lee las oraciones. Identifica quiénes participan en la fiesta.

> Fermín y su mamá viajan a Tenerife para ver el carnaval.

1. Los adultos y los jóvenes bailan toda la noche.
2. Fermín y sus primos llevan un disfraz.
3. Los amigos escuchan música en el concierto.
4. Los músicos cantan y tocan instrumentos musicales.

B. Lee las oraciones. Identifica qué hacen las personas en la fiesta.

> Ustedes bailan salsa en el carnaval.

1. Las niñas, las jóvenes y las señoras llevan lindos vestidos.
2. Los señores tienen ropas de colores.
3. Los visitantes celebran con sus nuevos amigos.
4. Nosotros festejamos en las Islas Canarias.

C. Completa las oraciones. Lee en voz alta.

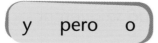

y   pero   o

1. ¿Quieres ver el desfile ___ prefieres escuchar el concierto?
2. ¡En el carnaval puedo comer ___ bailar toda la noche!
3. Quiero bailar salsa ___ me duelen los pies.

D. Une las oraciones para formar una sola oración.
Usa *y*, *pero* y *o*.

1. Puedes ir al carnaval.
   Puedes ver el desfile en la televisión.
2. La comida del carnaval es deliciosa.
   La música es divertida.
3. Quiero ir al carnaval.
   No tengo un disfraz.

E. Completa el diálogo. Lee en voz alta.

Celebramos el carnaval en febrero
Sí, es muy divertido
Cuándo celebran el carnaval
Es divertido el carnaval

John: ¿   ?

Fermín: .

Amy: ¿   ?

Fermín: ¡   !

F. Escoge. Lee en voz alta.

1. El (Sr. / Sra.) Sánchez va al carnaval de (Tenerife / tenerife) con su familia.
2. Él canta en el concierto (y / pero) toca la guitarra.
3. La (Dr. / Dra.) Sánchez es su esposa.
4. (La / El) familia Sánchez disfruta el carnaval (y / pero) debe viajar de regreso a su casa.
5. ¡(Todos / todos) se divierten en el carnaval!

Las fiestas familiares

A. Lee y escucha.

Irene: Me gustan mucho las fiestas familiares. Mi fiesta favorita es la fiesta del Día de la Madre. Celebramos el Día de la Madre la primera semana de mayo y el Día del Padre en marzo.

Fermín: Mi fiesta favorita es mi cumpleaños. Celebramos mi cumpleaños cantando y compartiendo con mi familia y mis amigos. Mis amigos me tiran de las orejas una vez por cada año que cumplo.

Amy: ¡Qué tradición más divertida!

B. Compara. Conversa con un amigo o una amiga. Comunicación

1. ¿Cuándo celebran el Día de la Madre en tu comunidad?
2. ¿Cuándo celebran el Día del Padre en tu comunidad?
3. ¿Cuándo celebras tu cumpleaños? ¿Cómo lo celebras?
4. ¿Te gustan las fiestas familiares? ¿Por qué?

Repasa

- las fiestas de la comunidad
- las fiestas familiares

Aplica

▶ Imagina que celebras la Tomatina o el carnaval de Tenerife.

1. ¿Qué fiesta te gusta más? ¿Por qué?
2. ¿Cómo celebras la fiesta? ¿Qué haces?
3. ¿Dónde celebras la fiesta?
4. ¿Qué comes?

¡A escribir!

Tema: Mi visita a España

Ayuntamiento en Zaragoza

Comunicación

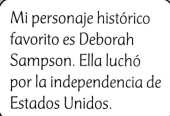

Mi personaje histórico favorito es Deborah Sampson. Ella luchó por la independencia de Estados Unidos.

Mi personaje histórico favorito es George Washington. Él también luchó por la independencia de Estados Unidos y fue presidente.

▶ Conversa.

- Habla sobre tu personaje histórico favorito.

Un anuncio informativo

Correo Electrónico

De: moshiro@mail.com

Para: casillas@mail.com   Asunto: Taller de arte

Enviar

Verdana ▾   10 ▾   **N** *K* <u>S</u>

Mis carpetas

Bandeja de entrada

Bandeja de salida

Elementos enviados

Elementos eliminados

Correo no deseado

Buenas tardes, Sr. Casillas:

Leí su anuncio en Internet sobre un taller de arte en el Museo de Pablo Picasso. Mis hijos y yo queremos participar en el taller. Queremos aprender más sobre el pintor Picasso y sus obras de arte. Amy y John quieren aprender sobre sus pinturas coloridas.

Nuestro amigo Fermín también quiere aprender sobre Picasso. Sus obras favoritas son las del carnaval. Fermín dice que le recuerdan las celebraciones del carnaval de Tenerife.

¿Nos puede decir cuándo será el taller?

Hasta pronto,

Sra. Michelle Oshiro

Museo de Arte Picasso
¡Visite nuestro taller de arte!
Aprenderá sobre las obras de Picasso.
Tenemos cientos de obras en nuestro museo.

A. Completa las oraciones. Lee en voz alta.

> | taller de arte | obras de arte | pintor |
> | anuncio | favoritas | coloridas |

1. La señora Oshiro vio un _____ en Internet sobre el museo.

2. Amy y John quieren aprender sobre las _____ de Picasso.

3. Picasso es un _____ famoso.

4. Michelle quiere saber cuándo será el _____ .

5. Algunas obras de Picasso son muy _____ .

6. Las obras _____ de Fermín son las pinturas del carnaval.

B. Responde.

1. ¿Quién envía el mensaje electrónico? ¿Quién lo recibe?

2. ¿Qué información quiere saber Michelle?

3. ¿Quieres participar en los talleres que ofrecen en el anuncio? ¿Por qué?

C. Conversa con un amigo o una amiga.

1. ¿Qué anuncios conoces?

2. ¿Qué otro pintor famoso conoces? ¿Cómo son sus obras de arte?

3. ¿Sobre qué otro personaje histórico quieres aprender?

Otros personajes históricos

A. Escoge. Lee el párrafo en voz alta.

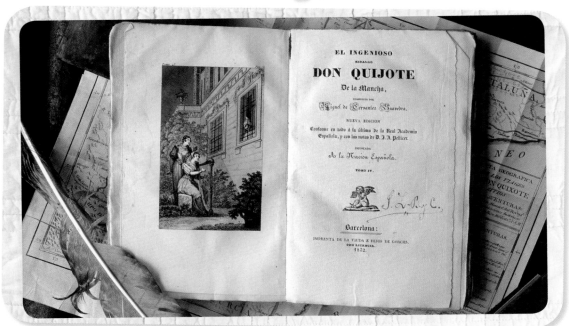

Miguel de Cervantes **es** un escritor (español / española) muy popular de hace cientos de años. Sus libros son (famoso / famosos). El libro más (importante / importantes) de Cervantes es *Don Quijote de la Mancha*. El libro cuenta las aventuras (divertidos / divertidas) de Don Quijote y su amigo Sancho Panza.

B. Completa el diálogo. Lee en voz alta.

> aprender   aprendes   aprendí   aprenderá

John: Ayer yo _____ sobre Cervantes.

Michelle: Tú _____ mucho en la escuela.

Amy: A John le gusta _____ sobre los personajes históricos.

Michelle: Mañana él _____ sobre un pintor importante.

C. Relaciona los días y las actividades. Completa la tabla.

ayer	hoy	mañana

1. Ayer visité el museo de arte.
2. La maestra habló sobre personajes históricos.
3. En la clase de hoy leo un libro sobre Goya y Picasso.
4. Aprendo que Goya es un pintor español muy importante.
5. Estudiaré más sobre Goya y Picasso.
6. Visitaré el museo en el verano.

Francisco de Goya

D. Escoge. Lee el párrafo en voz alta.

Ayer el maestro (habló / habla / hablará) sobre Isabel de Castilla y Fernando de Aragón. Ellos son los reyes que ayudaron a Cristóbal Colón. Hoy (aprendí / aprendo / aprenderé) más sobre los personajes históricos de España. Mañana (estudié/ estudio / estudiaré) para un examen sobre estos personajes.

Cristóbal Colón y los reyes de Castilla y Aragón, Isabel y Fernando

E. Conversa con un amigo o una amiga. comunicación

1. ¿Quién es Cervantes?
2. ¿Quién es Goya?
3. ¿Quiénes son Isabel y Fernando?

Una celebración histórica

A. Lee, escucha y repite.

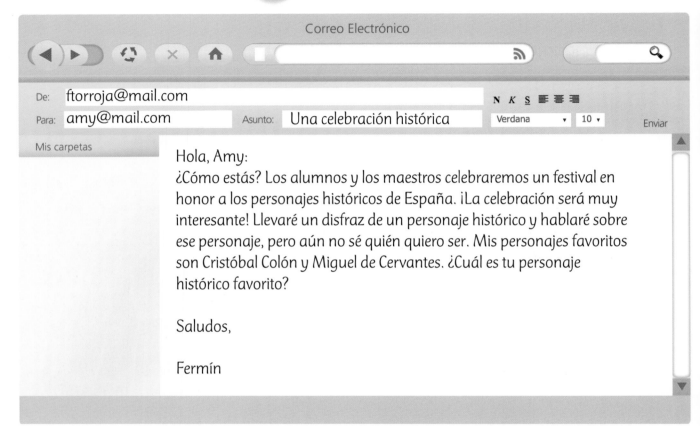

Correo Electrónico

De: ftorroja@mail.com

Para: amy@mail.com   Asunto: Una celebración histórica

N K S

Verdana ▼ 10 ▼   Enviar

Mis carpetas

Hola, Amy:

¿Cómo estás? Los alumnos y los maestros celebraremos un festival en honor a los personajes históricos de España. ¡La celebración será muy interesante! Llevaré un disfraz de un personaje histórico y hablaré sobre ese personaje, pero aún no sé quién quiero ser. Mis personajes favoritos son Cristóbal Colón y Miguel de Cervantes. ¿Cuál es tu personaje histórico favorito?

Saludos,

Fermín

B. Conversa con un amigo o una amiga.

1. ¿Quiénes son tus personajes históricos favoritos?

2. ¿Qué fiestas celebran en tu comunidad en honor a los personajes históricos?

C. Responde al correo electrónico.

1. Saluda a Fermín.

2. Escribe sobre tus personajes históricos favoritos y las celebraciones en tu comunidad.

3. Despídete de Fermín.

Repasa

- las celebraciones
- las costumbres y tradiciones
- las fiestas
- los personajes históricos

Aplica

▶ Imagina que viajaste a España.

1. ¿En qué celebraciones de España participaste?
2. ¿Qué aprendiste de las costumbres en España?
3. ¿Qué fiesta familiar te gustó? ¿Por qué?
4. ¿Qué personaje histórico quieres recordar con una celebración?

¡A escribir!

Comunicación

Tema: Mi visita a España

PLANIFICA ESCRIBE REVISA PRESENTA

La familia Oshiro vuelve a su casa en Texas. Conocieron siete países y visitaron a ocho amigos.

John y Amy le escribirán a todos sus amigos. Ya llenaron sus diarios geográficos, y lo van a compartir con todos sus amigos en casa. Y tú, ¿con quién vas a compartir tu diario?

Mapa de las Américas

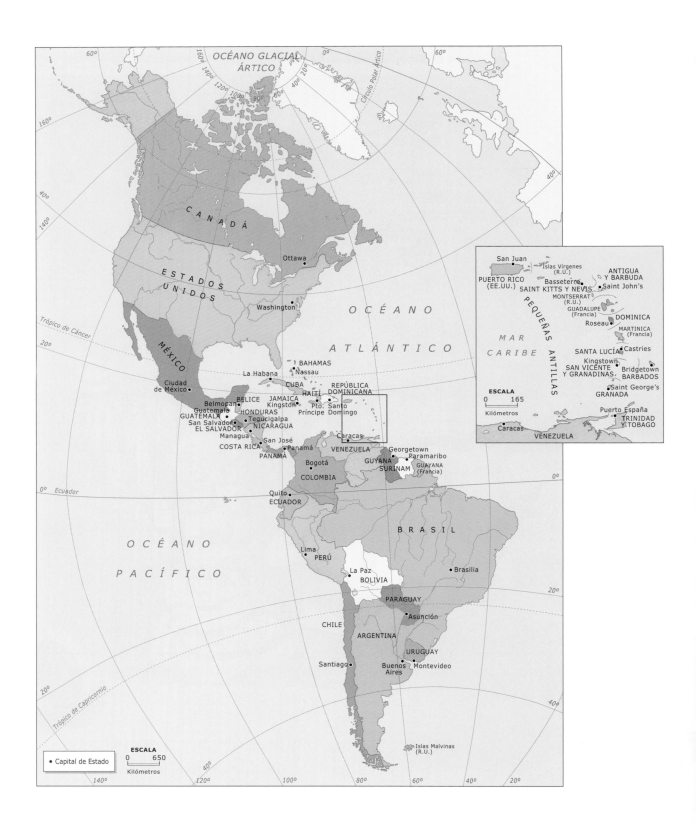

OCÉANO GLACIAL ÁRTICO

Círculo Polar Ártico

CANADÁ

Ottawa

ESTADOS UNIDOS

Washington

OCÉANO

ATLÁNTICO

Trópico de Cáncer

MÉXICO

Ciudad de México

BAHAMAS
La Habana
Nassau
CUBA
REPÚBLICA DOMINICANA
Belmopán
HAITÍ
BELICE
JAMAICA
Guatemala
Kingston
Pto. Santo
GUATEMALA
HONDURAS
Príncipe Domingo
San Salvador
Tegucigalpa
EL SALVADOR
NICARAGUA
Managua
Caracas
COSTA RICA
San José
Panamá
VENEZUELA
Georgetown
PANAMÁ
Paramaribo
GUYANA
Bogotá
SURINAM
GUAYANA
COLOMBIA
(Francia)

Quito
ECUADOR

OCÉANO

PACÍFICO

B R A S I L

Lima
PERÚ

La Paz
Brasilia
BOLIVIA

PARAGUAY

CHILE
Asunción

ARGENTINA
URUGUAY

Santiago
Buenos Aires
Montevideo

Islas Malvinas (R.U.)

Ecuador

Trópico de Capricornio

ESCALA
0   650
Kilómetros

• Capital de Estado

San Juan
Islas Vírgenes (R.U.)
ANTIGUA Y BARBUDA
PUERTO RICO (EE.UU.)
Basseterre
SAINT KITTS Y NEVIS
Saint John's
MONTSERRAT (R.U.)
GUADALUPE (Francia)
DOMINICA
Roseau
MARTINICA (Francia)
MAR
CARIBE
SANTA LUCÍA
Castries
Kingstown
SAN VICENTE
Bridgetown
Y GRANADINAS
BARBADOS
Saint George's
GRANADA

ESCALA
0   165
Kilómetros

Caracas
Puerto España
TRINIDAD Y TOBAGO
VENEZUELA

PEQUEÑAS ANTILLAS

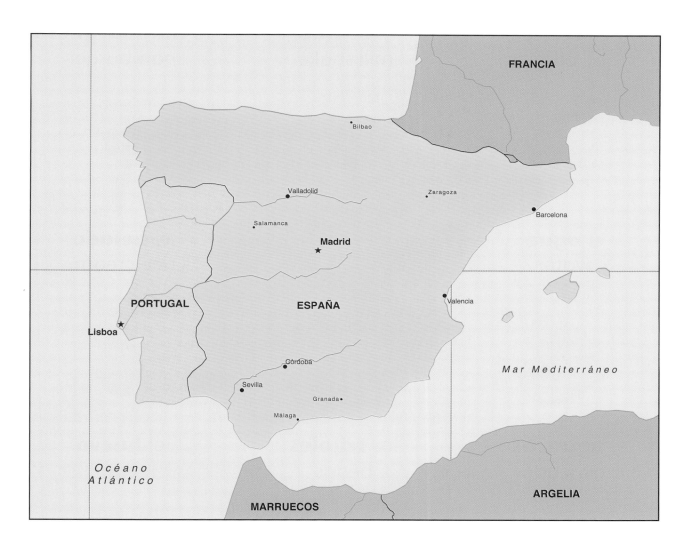

FRANCIA

• Bilbao

• Valladolid

Zaragoza

• Barcelona

• Salamanca

★ Madrid

PORTUGAL

ESPAÑA

• Valencia

★
Lisboa

Mar Mediterráneo

• Córdoba

Sevilla
•

Granada •

Málaga •

Océano
Atlántico

ARGELIA

MARRUECOS

el **aceite**
oil

el **batido**
milkshake

la **hamburguesa**
hamburger

el **agua**
water

la **ensalada**
salad

el **helado**
ice cream

el **aguacate**
avocado

los **frijoles**
beans

el **huevo**
egg

el **arroz**
rice

las **frutas**
fruit

la **leche**
milk

el **maíz**
corn

el **pastel**
cake

el **sándwich**
sandwich

la **mantequilla**
butter

el **pavo**
turkey

la **sopa**
soup

el **pan**
bread

el **pescado**
fish

las **verduras**
vegetables

las **papas fritas**
French fries

el **pollo**
chicken

el **yogur**
yogurt

la **cabeza** head

el **pelo** hair

la **oreja** ear

el **ojo** eye

la **nariz** nose

la **boca** mouth

los **dientes** teeth

la **garganta** throat

el **cuello** neck

el **hombro** shoulder

el **brazo** arm

el **codo** elbow

el **estómago** stomach

la **mano** hand

el **dedo** finger

la **pierna** leg

la **rodilla** knee

el **pie** foot

el **tobillo** ankle

el **dedo del pie** toe

la **blusa**
blouse

la **falda**
skirt

el **suéter**
sweater

los **calcetines**
socks

el **pantalón**
pants

el **traje**
suit

la **camisa**
shirt

el **pantalón corto**
shorts

los **zapatos**
shoes

la **camiseta**
T-shirt

el **sombrero**
hat

los **zapatos deportivos**
sneakers

0
cero

1
uno

2
dos

3
tres

4
cuatro

5
cinco

6
seis

7
siete

8
ocho

9
nueve

10 **diez**
11 **once**
12 **doce**
13 **trece**
14 **catorce**
15 **quince**
16 **dieciséis**
17 **diecisiete**
18 **dieciocho**
19 **diecinueve**
20 **veinte**
21 **veintiuno**
22 **veintidós**
23 **veintitrés**
24 **veinticuatro**

25 **veinticinco**
26 **veintiséis**
27 **veintisiete**
28 **veintiocho**
29 **veintinueve**
30 **treinta**
31 **treinta y uno**
40 **cuarenta**
50 **cincuenta**
60 **sesenta**
70 **setenta**
80 **ochenta**
90 **noventa**
100 **cien**

amarillo
yellow

gris
gray

rojo
red

anaranjado
orange

marrón
brown

rosado
pink

azul
blue

morado
purple

verde
green

blanco
white

negro
black

el **caballo**
horse

el **mono**
monkey

la **pantera**
panther

el **cerdo**
pig

el **pájaro**
bird

el **pez**
fish

el **cocodrilo**
crocodile

el **perro**
dog

la **tortuga**
turtle

el **gato**
cat

el **pingüino**
penguin

la **zorra**
fox

la **abreviatura** abbreviation

el **actor** actor

la **actriz** actress

acuático(a) aquatic

amigable friendly, amicable

el **animal** animal

antiguo(a) old, ancient

el **apartamento** apartment

el(la) **arqueólogo(a)** archeologist

el(la) **arquitecto(a)** architect

el **arte** art

el(la) **artista** artist

el(la) **astronauta** astronaut

el **autobús** (*pl.* los **autobuses**) bus

la **bailarina** dancer, ballerina

la **bicicleta** bicycle

brillante brilliant

la **cámara de fotos** (photo) camera

la **cámara de video** video camera

la **capital** capital

el **carro** car

la **celebración** (*pl.* las **celebraciones**) celebration

las **ciencias** sciences

el(la) **científico(a)** scientist, scientific

el **clima** climate, weather

colorido(a) colored

el **concierto** concert

conmemorar to commemorate

construir to build, construct

el(la) **consumidor(a)** consumer

la **croqueta** croquette

cultural cultural

delicioso(a) delicious

el **desierto** desert

difícil difficult

la **distancia** distance

el **dólar** (*pl.* los **dólares**) dollar

el **dormitorio** bedroom, dormitory

ecológico(a) ecological

el **ecosistema** ecosystem

la **educación física** physical education (P.E.)

el **ejercicio** exercise

elegante elegant

el **encuentro** encounter

entrar to enter

el(la) **escultor(a)** sculptor

la **escultura** sculpture

esquiar to ski

la **estación** (*pl.* las **estaciones**) station, season

el **este** east

estimado(a) esteemed, dear

estudiar to study

europeo(a) European

el **evento** event

la **farmacia** pharmacy

el **flamenco** flamenco

el **flan** flan, custard

folk (*adj.*), folkloric

la **flor** flower

folklórico(a) folkloric

la **foto** photo(graph)

la **fotosíntesis** photosynthesis

fresco(a) fresh

la **galería** gallery

el **gato** cat

la **geografía** geography

los **granos** grains

grave serious, grave

el(la) **guía** guide

la **guitarra** guitar

el **hámster** hamster

el **hemisferio norte / sur**
Northern / Southern Hemisphere

la **historia** history

el **hotel** hotel

húmedo(a) humid

ígneo(a) igneous

la **iluminación**
(*pl.* las **iluminaciones**)
illumination

indígena native, indigenous

individualmente individually

la **información** information

informal informal

el(la) **ingeniero(a)** engineer

el **inglés** English

interesante interesting

el(la) **inventor(a)** inventor

el **jaguar** jaguar

el **kilómetro** kilometer

el **laboratorio** laboratory

el **lago** lake

la **laguna** lagoon

la **manufactura** manufacture

el **mapa** map

el **mapa electrónico**
electronic map

las **matemáticas** math

el **menú** menu

el **metro** meter

mexicano(a) Mexican

la **milla** mile

el **mineral** mineral

la **montaña** mountain

el **monumento** monument

la **moraleja** moral

mucho(a) much

el **mural** mural

el(la) **músico(a)** musician

el **nombre** name

el **norte** north

el **número** number

nutritivo(a) nutritious

el **ocelote** ocelot

el **oeste** west

el(la) **paciente** patient

el **pantalón** pants

el **papel** paper

parcialmente partially

el **parque** park

participar to participate

el **patio** patio

el(la) **pintor(a)** painter

la **pintura** painting

la **planta** plant

el **plato** dish, plate

la **plaza** (public) square, plaza

el **poncho** poncho

la **posibilidad** possibility

practicar to practice

el **precio** price

preferir to prefer

el **proceso** process

el **producto** product

el(la) **productor(a)** producer

la **profesión** (*pl.* las **profesiones**) profession

la **proteína** protein

el **puma** puma

el **radio** radio

rápidamente fast, quickly, rapidly

la **receta** recipe

la **roca** rock

las **ruinas** ruins

la **sandalia** sandal

el **satélite** satellite

sedimentario(a) sedimentary

serio(a) serious

el **té** tea

el **teatro** theater

la **tecnología** technology

el **teléfono celular** cell phone

la **televisión** television

el **tomate** tomato

la **tortilla** tortilla, omelette (Spain)

la **tradición** (*pl.* las **tradiciones**) tradition

tradicional traditional

el **tren** train

el **tucán** toucan

el **uniforme** uniform

usar to use

las **vacaciones** vacations

el **valle** valley

el **violín** (*pl.* los **violines**) violin

visitar to visit

la **vitamina** vitamin

el **volcán** (*pl.* los **volcanes**) volcano

la **yarda** yard

la **yuca** yucca

The following abbreviations are used:
adj. adjective *f.* feminine
m. masculine *pl.* plural

abajo below
el(la) **abogado(a)** lawyer
la **abuela** grandmother
el **abuelo** grandfather
aburrido(a) boring
adiós goodbye
afilado(a) sharp
el **agua salada** *f.* salt water
el **ajedrez** chess
el **ajiaco** Cuban stew with root vegetables
el **ala** *f.* wing
alegre happy
la **alfombra** rug, carpet
el **alimento** food
el(la) **amigo(a)** friend
ancho(a) wide
el **Año Nuevo** New Year
el **anuncio clasificado** classified ad
el **aparato electrónico** electronic appliance
aprender to learn
arreglar to fix
arriba above
la **aspiradora** vacuum cleaner
atender to attend to

atentamente attentively
aunque although
el **ave** *f.* bird (large)
el **avión** (*pl.* los **aviones**) airplane
el **azafrán** saffron

bailar to dance
la **bandera** flag
el **baño** bathroom
barato(a) cheap, inexpensive
el **barco** ship, boat
bastante enough
beber to drink
la **belleza** beauty
bien well, fine
el **bolígrafo** pen
el(la) **bombero(a)** firefighter
el **borrador** eraser
buscar to look for

el **caballo** horse
la **calabaza** pumpkin
caliente hot
el **calor** heat
la **cama** bed
el **camino** path
la **canción** (*pl.* las **canciones**) song
cantar to sing
la **carne** meat

caro(a) expensive

la carta letter

la casa house

la caseta stand

el castillo de arena sandcastle

el centro comercial shopping mall

cerca near

el cerdo pig

el chamanto Chilean poncho

la cigüeña stork

la cocina kitchen

cocinar to cook

el(la) cocinero(a) cook

la cola tail

el collar necklace

el comedor dining room

comer to eat

compartir to share

comprar to buy

el conejo rabbit

conocer to know
(be acquainted with)

el consejo advice

el corazón (pl. los corazones) heart

la corbata tie

corto(a) short

el cuaderno notebook

los cubiertos utensils

la cuchara spoon

el cuchillo knife

el cuerpo body

cuidar to take care of

el cumpleaños birthday

dar to give

dañado(a) ruined

el desayuno breakfast

descansar to rest

el desfile parade

después (de) after

detrás de behind

el Día de Colón Columbus Day

el Día de la Hispanidad
Hispanic Day

el Día de la Madre Mother's Day

el Día de la Raza Day of
the Race

el Día del Padre Father's Day

dibujar to draw

difícilmente with difficulty

la dirección (pl. las direcciones)
address

disfrutar to enjoy

divertido(a) fun, entertaining

el domingo Sunday

don don (title of courtesy
for a man)

doña doña (title of courtesy
for a woman)

dulce sweet

los dulces sweets, candies

el the

él he, him

ella she, her

el **edificio** building

encantado(a) delighted

enfermo(a) sick

el(la) **enfermero(a)** nurse

enfrente de in front of

ensuciar to soil, dirty

enviar to send

el **escenario** stage

la **escoba** broom

escribir to write

el(la) **escritor(a)** writer

escuchar to listen to

la **escuela** school

el **español** Spanish

esperar to wait for, expect

estar to be

la **exposición**
(*pl.* las **exposiciones**)
exhibition

la **fábrica** factory

fácil easy

fácilmente easily

el(la) **familiar** relative

el(la) **farmacéutico(a)** pharmacist

la **feria** fair

festejar to celebrate

la **fiesta** party

la **fogata** bonfire

frío(a) cold

fuerte strong

la **gallina** hen

el **gazpacho** gazpacho

la **garza** heron

la **gente** people

gracias thank you

gracioso(a) funny

grande big, large

la **granja** farm

la **grasa** fat

guacamayo macaw

la **guanábana** soursop

los **guaraníes** Guarani (indigenous
people of Bolivia and Paraguay,
Paraguayan currency)

la **guayaba** guava

la **guerra** war

H

hablar to talk, speak

hacer to make, do

la **hermana** sister

el **hermano** brother

hermoso(a) beautiful, lovely

la **hoja** leaf

el **hueso** bone

el **idioma** language

el **invierno** winter

ir to go

el **jabón** soap

el **jamón** ham

la **jaula** cage

el **jueves** Thursday

jugar to play

la (*f.*) the

lácteo dairy

lanzar to launch

el **lápiz** (*pl.* los **lápices**) pencil

largo(a) long

lavar to wash

leer to read

lejos far

lentamente slowly

los **lentes de sol** sunglasses

levantar to lift (up)

levantarse to get up

el **libro** book

la **limonada** lemonade

limpiar to clean

lindo(a) cute, pretty

llegar to arrive

llevar to wear, carry

la **lluvia** rain

lluvioso rainy

el **lunes** Monday

el **maduro** sweet fried plantain

mal bad

la **mamá** mom

la **mano** hand

el(la) **maquillador(a)** makeup artist

el **mar** sea

los **mariscos** shellfish, seafood

el **martes** Tuesday

la **mascota** pet

la **medianoche** midnight

el(la) **médico(a)** doctor

medir to measure

mejorar to improve, get better

el **mercado** market

el **miércoles** Wednesday

mostrar to show

nadar to swim

la **nave espacial** spaceship

necesitar to need

la **nieve** snow

el(la) **niño(a)** child

la **Noche de San Juan** Saint John's Night

la **Nochevieja** New Year's Eve

nublado cloudy

nunca never

la **obra de arte** work of art

el **oído** ear (inner)

oler to smell

el **otoño** autumn

la **oveja** sheep

pagar to pay

el **pájaro** bird

el(la) **panadero(a)** baker

la **panadería** bakery

la **papa** potato

el **papá** dad

pasear to go for a ride or a walk

la **pata** paw, leg (of an animal or object)

la **pecera** fishbowl

peludo(a) hairy, furry

pequeño(a) small

el **periódico** newspaper

pero but

el **personaje** character (in a book, play, etc.)

el **pez** (*pl.* los peces) fish

el **pico** beak

la **piel** skin

el **pimiento** pepper (hot or sweet)

la **pirámide alimenticia** food pyramid

el **piso** floor

el **plátano** plantain, banana

la **playa** beach

la **pluma** feather

poco a little

el **pollo** chicken

el **postre** dessert

preguntar to ask

la **primavera** spring

el **pronóstico del tiempo** (weather) forecast

primero first

la **producción en serie** mass production

el **pueblo** village

el **puerco** pork

querer to want, wish

querido(a) dear

regalar to give (as a gift)

la **represa** dam

resfriado(a) (with the verb estar) to have / come down with a cold

rico(a) tasty, delicious

el **río** river

roto(a) broken

ruidoso(a) noisy

el **sábado** Saturday

el **sabor** flavor

saborear to taste

sabroso(a) tasty

la **sal** salt

la **sala** living room

salado(a) salty

la **salón de clase** classroom

la **salud** health

sano(a) healthy

el **sapo** toad

secar to dry

la **selva** jungle, forest

la **semilla** seed

la **señal** signal

el **señor (Sr.)** Mister, Sir (Mr.)

la **señora (Sra.)** Missus, Ma'am (Mrs.)

la **señorita (Srta.)** Miss (Miss)

ser to be

el **ser vivo** living being

el **ser no vivo** nonliving being

la **servilleta** napkin

la **seta** mushroom

sevillano(a) from Sevilla

si if

sí yes

siempre always

el **sol** sun

soleado sunny

suave soft

sucio(a) dirty

el **sueño** dream

el **sur** south

el **taller de arte** art studio

las **tapas** tapas (Spanish hors d'oeuvres)

el(la) **técnico(a)** technician

tejer to weave

el **televisor** TV set

temprano early

el **tenedor** fork

tener to have, hold

la **tienda** store, shop

tocar to touch, to play (a musical instrument)

todo(a) all

tomar to drink (soup)

la **tormenta** storm

el **tostón** (*pl.* los **tostones**) unripened fried plantain

trabajar to work

el **trabajo** work

el **trapeador** mop

tu your (informal)

tú you (informal)

U

los **útiles escolares** school supplies

la **uva** grape

la **vaca** cow

la **vaquera** cowgirl

el **vaquero** cowboy

el **vaso** glass (for drinking)

el **vecindario** neighborhood

el(la) **vendedor** salesperson

vender to sell

venir to come

ver to see

el **verano** summer

el **vestido** dress

viajar to travel

el **viaje** trip

el **videojuego** video game

el **viernes** Friday

y and

la **yuca** yucca

el **zapato** shoe

la **zona central** central region

el **zoológico** zoo

el **zorro pelón** opossum
(Costa Rica)

a la derecha / izquierda to (on) the right / left

al aire libre outside, outdoors

al lado de next to

de / por la mañana in the morning

de / por la tarde in the afternoon

más o menos more or less

por último last, finally

tirar de las orejas to pull someone's ears

Buena idea. Good idea.

Buenos días. Good morning.

Buenas tardes. Good afternoon.

Buenas noches. Good evening. Good night.

¿Cómo están? How are you? (*pl.*)

¿Cómo te sientes? How do you feel?

¿Dónde (está el hotel)? Where (is the hotel)?

Hace / Hará mal tiempo. The weather is/will be bad.

Hace / Hará buen tiempo. The weather is/will be nice.

Hasta luego. See you later.

Hasta pronto. See you soon.

Me encanta. I love it.

Me gusta. I like it.

Mucho gusto. Pleased (nice) to meet you.

¿Qué te duele? What hurts / aches?

¿Quién (va a la fiesta)? Who (is going to the party)?

Te presento a (mis amigos). Let me introduce you to (my friends).

Tengo hambre / sed. I'm hungry / thirsty.